君と出会って僕は父になる

矢野　拓実

はじめに

子育てが始まると、母と父のことをよく思い出すようになった。

母は、中学生の時に母（つまり僕の祖母）を亡くし、弟妹3人の面倒をみて、夜中は看護学校に通い、看護師になった。父と結婚し僕が生まれてからは、僕の面倒をほぼひとりでみてくれた。父は仕事柄、単身赴任で家にいない時間が多い人だったから。父は僕が19歳の時に亡くなり、母もその3年後に癌で他界した。ふたりとも苦労が多く、僕自身も大きな負担をかけてしまったのかもしれないと思う。

家族としてどうありたいか、妻と息子にどう生きてほしいか、僕自身の人生はどうしていくか。

男性として、父親としての家族、家事、育児への向き合い方も変化し続けているから、「これが答えだ」と言いきれない時代だ。でも、僕なりに家庭も仕事も両立し、新しいカタチとしてアップデートし続けている。家族の誰かが何かを諦めることなく、健康に、自分達の自己実現を成し遂げて、ハッピーに生きていけるように。

この本は、少し珍しい、子育てについて考えるフォトエッセイ。

二部構成になっていて、前半は「できることなら仕事と家事と育児を両立したい」と思っている人達の背中をおせるように、僕なりに試行錯誤した日々をまとめた。息子が生まれたのは2020年4月。2020年といえば、年号が令和に代わり、東京オリンピックに盛り上がるはずが、新型コロナウイルスの流行で大きな社会の変化を迎えた年。僕のように親になった人も、そうでない人も、一人ひとり怒涛の人生があったと思う。できないこともあったけれど、見えた光もある。

後半では、写真をたくさん使って息子と過ごす日々の美しさと楽しさを表現した。家族で過ごす日々は人生の中で大事な、大きな宝物だということが伝えられたら嬉しい。

激動の中で、価値観も多様化する。物事の考え方、働き方、すべてが大きく変化していく中で、この本が読んでくれた人の助けになれれば嬉しい。

目次

息子の誕生と、家族として歩んでいくためのこと

子どもが生まれる前の、親の準備

最初に少し、僕の息子が生まれた時の話をしたい。
あれは結婚して約1年半が経った頃。これから家族としてどんな人生を歩むか妻と話す時に、子どもをもつという選択肢が増えるようになった。いつ授かれるかはわからないけれど、だんだんと、少しずつ考えるようになる。

実際に妊娠がわかった時は嬉しい気持ちがあふれた。子どもができる、家族が増える。一方で、家族として機能していけるのか、働き方を変えられるのか、これからの人生にたくさんの不安が募るようになっていった。妻の目まぐるしい変化と、なかなか力になれない自分の無力感も相まって、ソワソワする日々だったと思う。

僕と妻は京都に住んでいた。彼女は陶芸家で、結婚する前から京都の芸術大学に通っていてたから。フリーランスだった僕は、東京の拠点と、京都の自宅を行き来しながらカメラマンの仕事をしていた。結婚当初、それまで縁のなかった京都で新しい仕事を、関係性と共に作っていくのは至難の業だった。

だから、夫婦ふたりなら何とかなるけれど、子どもが生まれるなら今まで通りではいけないと思った。お金・売上を安定させることも重要。落ち着くことも意識しなければ。いつまでも二拠点生活はできない。家に帰る時間そのものを増やして、妊娠中の妻と、これから生まれてくる子どもとの時間を作りたかった。

「陶芸はあちらでも続けられるし」

妻も同じように考えていて、やっぱり仕事を意識していた。陶芸家として活動する傍ら、Ｗｅｂライターとしての仕事も行っていたので、お客様に近い関東に引っ越すのは現実的な選択だった。妻に背中をおされて、僕達は関東に完全に拠点を移すことに決めた。

妻のつわりが落ち着いて、少し動けるようになってから引っ越した先は鎌倉。ふたりが出会うきっかけになった土地で、いつか住んでみたいという憧れがあった。東京までは1時間半くらいで各所に行けて、撮影の仕事を終えて、すぐに自宅に帰れる。

京都と東京の二拠点生活をしていた間は、それぞれ2週間ずつ滞在していたので、毎日妻に会えることが新鮮で、嬉しかった。

予定日は5月だったのだけれど、それよりもだいぶ早い、4月中旬。妻がいつもとは違うお腹の痛みを訴え、一度産院にいく。まだ産れないようだから自宅に戻るようにと言われる。いわゆる前駆陣痛というものだろうか、そういえば友人が前駆陣痛から1ヶ月くらいかかったと言っていたなと思う。

妻と一緒に家に自宅に戻り、1週間くらいでいよいよ生まれるその瞬間が来るのかなあと思い、ふたりで子どものための準備をする。

新生児の服を洗って、干して。いつの間にか夜になって。なかなか寝付けなくてスマホを見ていると、ベッドで寝ていた妻が、「あ、破水したかも」といった。産院から戻ってきた夜のことで、慌てて準備し、もう一度むかった。

新型コロナウイルス禍の出産への立ち会いは病院のスタンスによったのだけれど、できるだけリラックスできるように立ち会いだけは許されていた。でも陣痛に苦しむ妻の手を握ったり腰をさすったり、飲み物を口に持っていくくらいしか僕にできることはなかった。

余談だけれど、僕達が選んだ産院は無痛分娩をやっていなかったが、もちろん無痛分娩という選択肢も良かったのだろうなと思う。男性は痛みそのものは共有できないけれど、あの長時間の痛さとの戦いは避けていいほどだと思ってしまった。

息子が生まれる瞬間にずっと泣いていたのは僕の方で、妻は結構ひいていた。

そういえばカメラを忘れたな。カメラマンの僕でもあれほど慌ててしまうと、カメラを忘れてしまうらしい。ｉＰｈｏｎｅ11Ｐｒｏで美しく撮ることができてよかった。

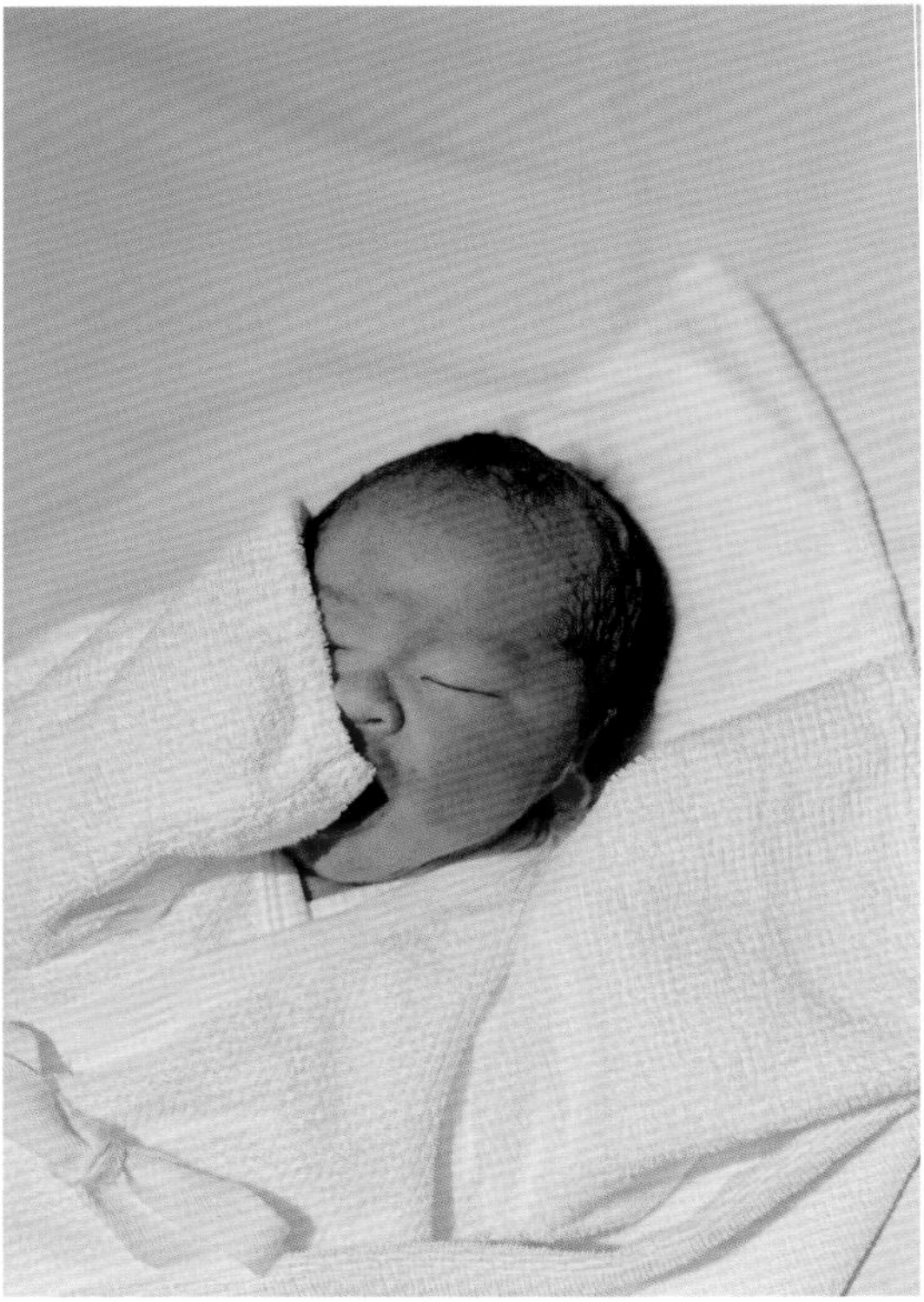

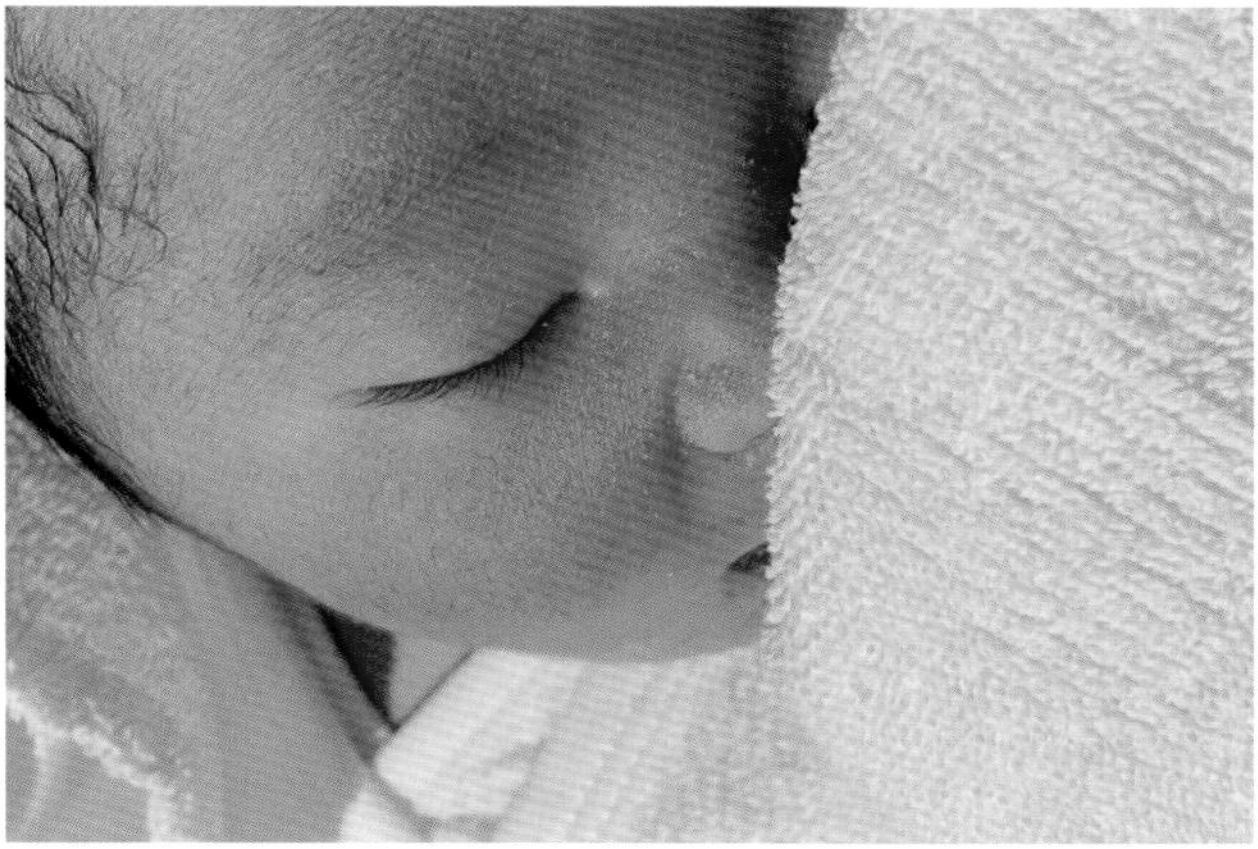

はじめての息子との生活

２０２０年4月に生まれた息子。東京オリンピックが行われるはずだったその年は、２月後半あたりから国内でも新型コロナウイルスが流行しはじめ、4月7日には、住んでいる関東圏にも第一回目の緊急事態宣言が首相から発せられた。

出産の前から、妻とお腹の息子に感染させないようにと、あらゆるお仕事を一旦ストップした。生まれたその瞬間に立ち会いをさせてくれる産院で、本当によかったなと今になって思う。

その後も、本当に試行錯誤の連続だった。

生まれて1ヶ月後のお宮参りに行くのは辞めた。ひたすらウイルスを持って帰らないようにと、スーパーで買ったものを家で消毒して使う。やりすぎ、なんてことはなく、生まれてすぐの息子に感染させまいと、夫婦揃ってやれることは全部やった。

預けた保育園も感染対策をしっかりとやってくれた。おかげで、コロナ禍というのに預かってもらう時間の方が長くて、仕事と生活だけでなく、気持ちの部分でも助けてもらえた。運動会やお遊戯会などのイベントが一切なかったので、少し薄い記憶な気がしているけれど。

しかしなんといっても登園自粛は大変。同時期に生まれた子どもを持つ先輩パパさん、ママさんからの悲鳴が凄まじかった。息子が通っている保育園も何度か登園自粛になり、保育園に預ける前も感じてはいたけれど……子どもが家にいての在宅勤務は、想定より大変だった。

生まれてから1年間は子育て1年目であり、全くの無知。初めて育てる赤子に全神経を割く。また出産から数ヶ月は妻の体調が悪いまま。できるだけ、ほとんどの家事を引き受ける。外に出るのも新型コロナウイルス対策のため極力避けて、ふたりのストレスはたまってしまった。

大きくなればというものでもなくて、1歳を超えて歩き回るようになると、「パパ！！ママ！！」と遊びたがる。

つまり何をするにもサポートは必要で、どちらか1人はつきっきりでないといけない。そう、育児をするようになってから気づいたのだが、在宅ワークと育児は両立がかなり難しいのだ。

現場にでれるわけでもない。2021年になる頃には仕事の依頼が通常通り戻ってきたけれど、妻だけに育児の負担をかけるわけにはいかない。お客様に事情を話して短時間撮影にしてもらうケースも多かった。お客様もお子さんがいて理解があり、現場では撮影だけを行い、インタビューはオンラインで対応。対面での時間をできるかぎり減らした。

この数年はそれぞれにそれぞれの苦悩があったと思う。この日々を乗り越えてきたのだから、また新しい希望へと向かっていきたい。

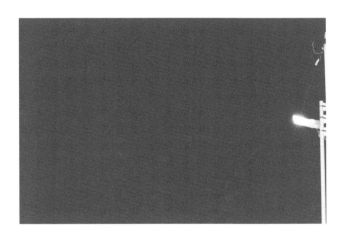

父親として、夫としてどう生きるか

息子が生まれる前、「子どもが生まれてから離婚してしまった」という男性に会うことが多かった。制作や広告業界にいたから、めずらしいことではない。

「家族のために」働いていたら、妻の心が離れていっていた。仕事人の彼らはそう言う。

でも、自分自身が父親になるとして、それはいいことなのか？　そうであっていいのか？　一度とどまって考えるいいきっかけになったと思う。

僕が子どもの頃、基本的にキッチンには母がいて、父がいるイメージはなかった。でも、それを望んでいたわけではない。母がしたいのであれば仕事をしてもいいと思うし、父がキッチンに立ってもいい。

それに僕は子どもが生まれたからといって、妻に自分の人生を全て諦めるなんてことはしてほしくなかった。同じように、僕自身も誰かに全て甘える人間で終わりたくない。（結婚してから妊娠までは甘えてしまっていたのも事実なのだけれど……）

いつか息子が大人になって、仕事のことも家庭のことも、男としても頼れる、そんな人間になりたいと思う。妻からもずっと信頼してもらえるような人間でありたい。

両親を思い出し、親としての自分をつくる

親をイメージする時に、モデルとして1番扱いやすいのはやはり自分の両親かもしれない。そこから、自分はこんなことはやりたくない、こうでありたいと「理想的な親」を作り上げていく。

僕は、父に関しても母に関しても、嫌いなところも好きなところもあって、習うこともあれば、反面教師にする部分もある。

たばこは吸わないと決めたようだけれど、酒に負けてしまう父が嫌だった。遊びに連れて行ってくれる、と約束したのに不機嫌になって守らないところも嫌いだった。でも、学校や部活の迎えに来てくれて、好きなラーメン屋に連れて行ってくれる父が好きだった。

キッチンの奥で隠れてたばこを吸う母が嫌いだった。すべてを背負い込んで我慢して、なんだかんだ父と別れないのはなぜなのかと思っていた。でも家族を一生懸命に考えてくれる母

が好きだった。料理を作ってくれて、たくさんの愛情をくれる母が好きだった。

両親の好きなところ、嫌いなところ。それが組み合わさって、今の自分ができたのだと思う。今思えばもっと話ができる関係であればよかったのかもしれない。

会話をする、対話をする。両親とそんな関係を築く時間は思ったより残っていなかった。既に亡くなってしまっているし、地元から離れて長い時が経ってしまった。写真が手元にあるわけでもなくて、鮮明に何かを思い出すこともあまりできない。

今はスマホでも、デジタルカメラでも、フィルムカメラでも、写真を撮り、データ化し、ストレージサービスにアップしてしまえばどこでも見れる。しかも、おそらくずっと残していけるこの環境は、恵まれているなと思う。

家族をアップデートしていく

夫婦のあり方は変化していくものだと思う。

父方も母方も、祖父母は農家だった。祖父母の世代はやはり子どもを持つ家庭が多く、その人数も多くて、父も母も兄弟がたくさんいる。そして夫が働き、妻が育児と家事を担当するイメージが強い。

父と母は共働き夫婦だった。しかし、やはり自分の面倒を見てくれていたのは母。平成の時代の、しかも田舎だったからかもしれないけれど、周りの家族も育児や家事は母親が主体になっている印象で、代わりに父親は仕事に勤しむ、という感覚だった。

僕と妻が親になった時、僕達はフリーランスという働き方をしていた。僕は両親と死別しているし、妻の両親は地方にいる。つまり、完全な共働き核家族であり、フリーランス夫婦。この時代ならではといえる、1つの家族の在り方だと思う。

この働き方をしていると、育休がないため、僕も妻も仕事を再開するタイミングについて悩んだ。

僕自身は新型コロナウイルスの影響もあったから緩やかに月1回ほどの撮影と、自宅で対応できるデザインの仕事を数件の受けていた。妻は、関東に引っ越してからは仕事が増えた。本人の希望もあって生まれて3ヶ月目には仕事に復帰していたと思う。

後述するけれど、さらに週に1度のファミリー・サポート・センターのシッターさん、民間のシッターさんにも、1ヶ月に1〜2回、2時間ほど見てもらうなどをしていた。

こんな風に自分達をアップデートできたからこそ、社会が激動の渦の中にあってもなんとかなったのだと思う。ふたりで、「生きていくためには」と考えることができたから。

時間との闘いは家電に頼る

息子が生まれてから約1年後、家から徒歩で15分くらいの保育園に預け始めた。数時間だけの「慣らし保育」を経て、本格的に預け始めると、去年が嘘だったかのように仕事ができるようになる。1年目は9時から17時、今となっては8時30分から18時まで預かってもらうことができるのだ。

もちろん、息子と一緒にいたい気持ちもあるけれど、仕事はお金の面で家族を支えてくれるのに加え、自分達にとって人生の糧とも言えるものだからだ。

ただ、保育園に預け始めた後は、息子の保育園の送り迎えの時間に合わせたタイムラインで動かなくてはいけなくなる。しかも、家事育児というのは信じられないくらい、半端じゃなく業務量が多い。

朝起きてから支度し、家事をある程度やって、息子にご飯を準備し食べさせ、着替えさせて。

妻と協力しながらといっても毎日やるのはなかなか骨が折れる。

送り迎えは事務所への移動と一緒に僕が基本的に担当。最初は抱っこひも、あっという間にベビーカー。今では猛ダッシュで走っていく息子。仕事が途中でも途中で腕を止め、必ず迎えにいく。

夜ご飯はできるだけ作り置きを3日分くらいずつ準備し、温めるだけにする。大人用の料理も、家電でどうにか作れるものにする。ホットクックや大同電鍋という調理器具を揃えたおかげで何倍も楽に美味しい料理ができるようになった。

息子はその日の気分次第で、妻と食べるか、僕と食べるかを指名する。ご飯を食べさせて、お風呂に入れる。お風呂に入れている間に、妻が保育園から持って帰ってきた洗濯物を回してくれる。お風呂から妻が息子を引き上げ保湿し、着替えさせる。

その後は息子と遊びながら洗濯物をフランドリーという室内乾燥機に入れる。洗濯乾燥機に全て入れてしまうとどうしても子どもの服が縮んでしまうので、これは本当にありがたい。

それからポケモンの歯磨きアプリをつけながら一緒に歯磨きをして、なんとか嫌がる最後の仕上げ磨きまでする。もし洗濯物が残っているなら乾燥機に入れないといけない。その間に妻が息子を寝るモードにしたら、あっという間に21時30分くらいの日々。

ちなみに、ここまでの家事はほとんどすべて「遊ぼうー!」と駆け寄ってくる息子に捕まりながら行う。

もしひとりだったら、家電がなかったらと思うと恐ろしい。少し前の時代だったとしたら24時を回ってしまうだろう。

何においても「行動を起こすこと」はとても億劫だと思う。その行動をいかに簡単に、毎日続けられるようにできるかがポイントだと感じる。便利なアイテムを使える部分は使い、できるだけ自動化する。疲れないようにすることも家事に関しては心がけている。僕達夫婦が受け入れた変化は単純な働き方や住む場所だけではない。

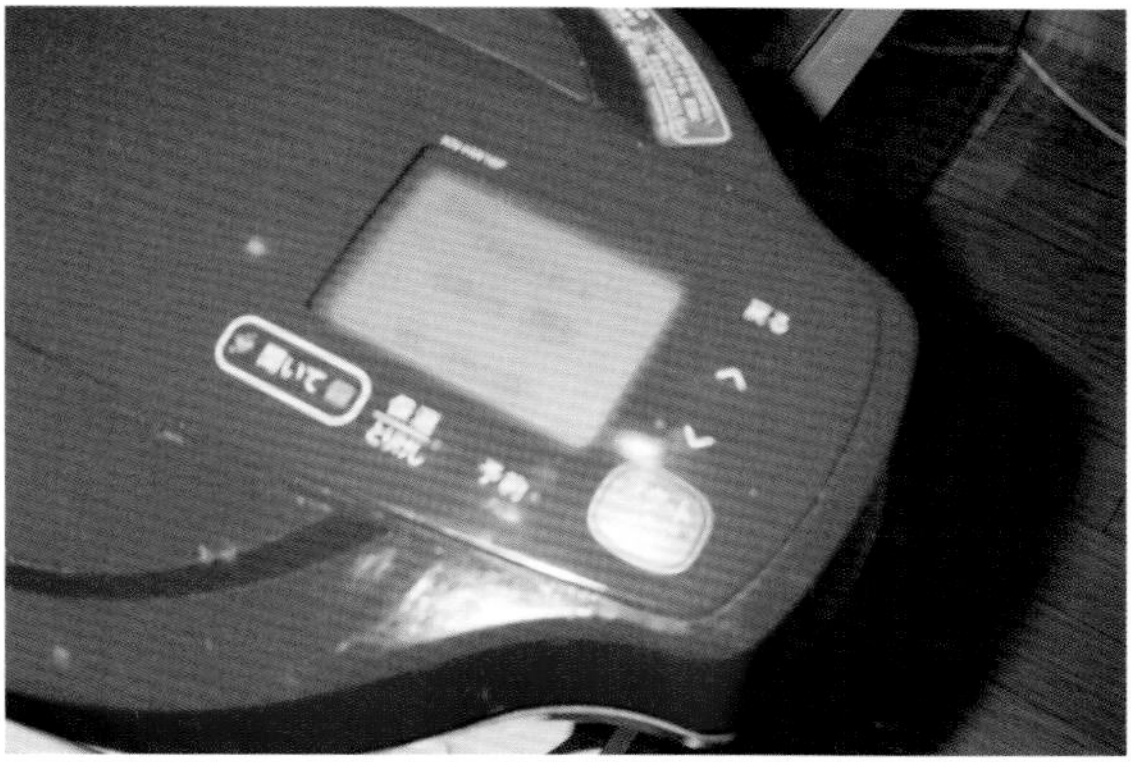

洗い
すすぎ
脱水
乾燥
槽クリーン
予約
洗濯
洗乾
乾燥
注意
やけどのおそれあり
故障や破損を防ぐために
ZABOON

FLaundry

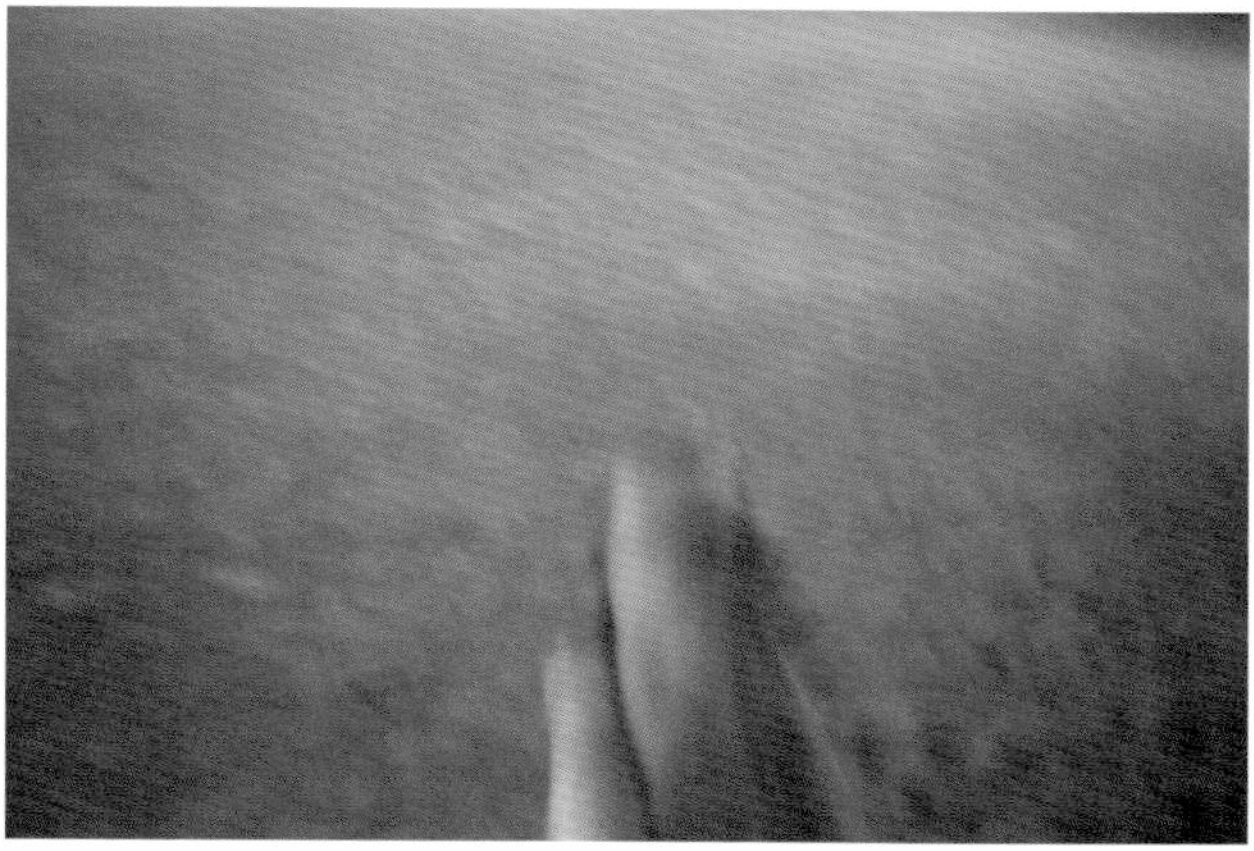

保育園の洗礼

いわゆる保育園の洗礼というものがある。子どもはとにかくさまざまな風邪や感染症に出会い、体調を崩すため、入園後の短期間で早退やお休みを繰り返すのだ。

もちろん息子も凄まじかった。想定が甘すぎた。息子も僕も本当に熱を出した。保育園に預けはじめてからの2年間は、ずっと体調を崩す日々だった。息子が何か患う度に、家族全員が体調を崩していた。新型コロナウイルスに感染したのかと疑うことも多く、時代的にも大変だったなと思う。

それでも僕ら夫婦はお互いフリーランスとして働いていたから、なんとかできたのだろう。僕が都内や遠方に撮影の仕事に行っている時に急に息子の熱が出た場合のお迎えは、妻が対応してくれた。翌日以降は、僕が他のカメラマンさんに仕事を依頼して代わりに撮影に行ってもらったり、編集の仕事を再調整したりして、自宅に残る。息子が寝たうちに……と、少し

でも仕事をしていた。（まあほとんどの場合、こちらも体調を崩して動けなかったりするのだけれども）

もちろんどうしても撮影の現場から離れられない時もある。そして妻にもどうしようもないタイミングはある。そういう両方とも現場がある撮影やオンライン取材が入ってしまった時は、病児保育さんにお願いする。病児保育とは、子どもが病気にかかっている時に、家庭でみることが困難な保護者に向けて、保育士さんや看護師さんが対応してくれる施設。

今住んでいるあたりは、ネットで調べてみたら病児保育さんやシッターさんが複数いてくれるおかげで、困った時にお願いできるのが本当に心強い。元気なうちに調べて諸々登録までやっておくのをおすすめする。

我ながら、頼れる実家がない割によくやってきたな……と思いたい。それと同時に、周りの皆様に生かしてもらっている僕ら家族。感謝を忘れないようにしたい。

昭和から平成、令和。子育てと家族の形は大きく変わっている。

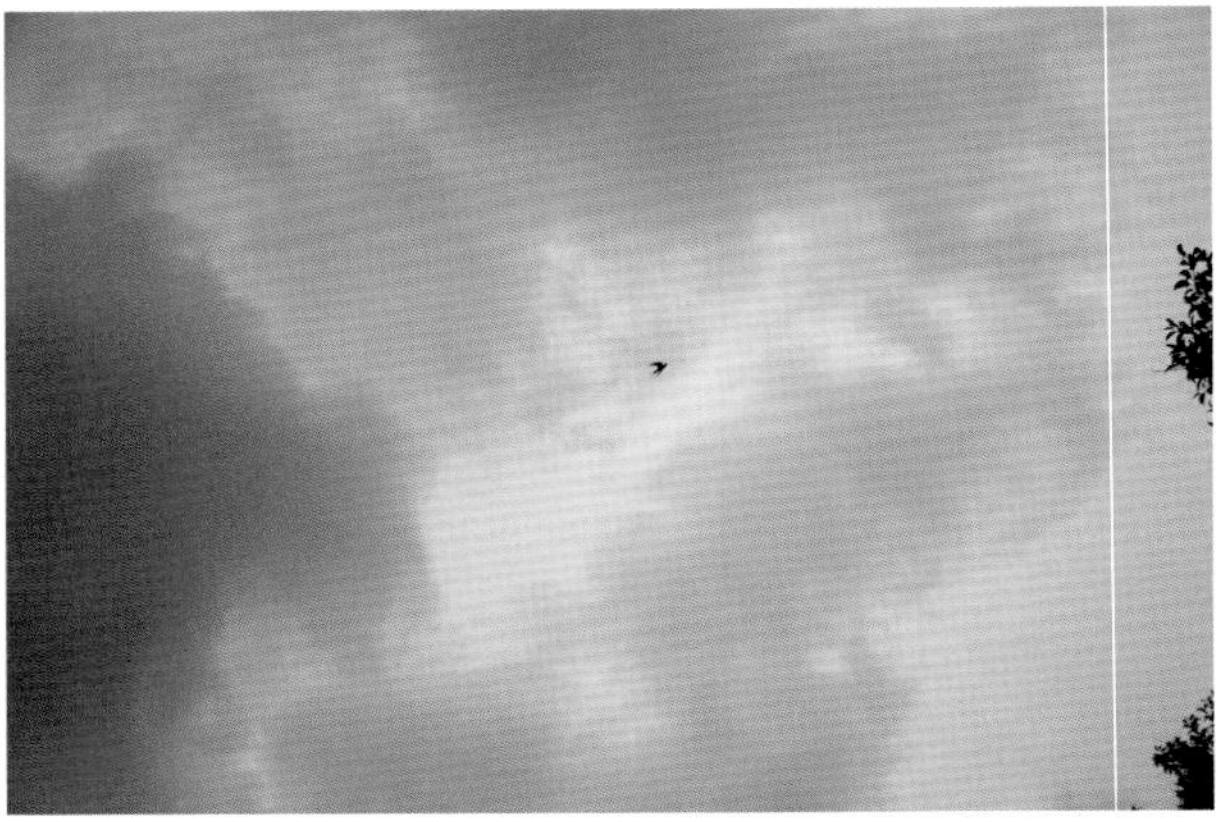

理想を描く。父親として、夫として、個人として

父親になる。これは僕の人生においてあまりにも大きな変化だった。最初のうちは、僕ら父親は「実感がわかない」という言葉に頼ってしまうことも多いかもしれない。しかし、いつまでもそれでは変わっていかない。変わることなどできない。だから自分が理想とするイメージを作ることにした。父親としても、夫としても、個人としても。

一度理想を描くと、現実との差が見えてしまう。その差を埋める行動は何か。心に余裕が持てた時に、客観的に落ち着いて見ることができる。

また、本当に家事と子育てと仕事をすべて行うのは、とんでもなく忙しいし、難しい。でも、理想を描いておけば、目まぐるしい状況に対して、どんな感情を持つかの指標にもなる。指標があれば行動を選ぶストレスも、起きてしまった問題への感情も、相対的に捉えるこ

とができるのだと思う。僕はそうやってどうにかバランスを保っていた。
家事も、子育ても、夫婦生活も、最後まで終わりのゴールはみえない。だから、ふんわりとした仮のゴールを、生き方の指標としても持っておいていい。

僕自身は「夫として」「父親として」「個人として（仕事や創作活動。自分自身の生き方）」という3つに分けてイメージした。

まず、夫として。

①夫婦で子育てというプロジェクトを運営できる夫
②妻自身の人生も豊かになるよう応援できる夫
妻に優しく、気持ちの面でも行動の面でも頼れる存在が僕の理想だった。

これをさらに分解し、
・家事の担当をしっかり担う

・育児をしっかりやる。
・妻がなにかやりたいと思った時に、それを応援できる準備をする
・保育園の送り迎えをできるだけする
・料理や洗濯はできるだけやる（ただ掃除は苦手なので妻がサポートしてくれる）
というような具体的な行動まで想定しておく。

次の「父親として」も同様。
①息子が興味をもったことはたくさんやらせてあげられる父親
②約束を守れる父親
③いつまでも応援してくれる父親
この父親としての理想像は、人としての対話がしっかりできるようになる3歳以降に大きな意味をもってくるのかもしれないが。

そして自分自身の個人としての理想。そこにはやっぱり仕事、そして創作活動がついてくる。

①バランスを保ちながらも突き抜けた成果をだすこと
②社会前進に一石を投じること
だと思っている。

僕が属しているカメラマンという職種も業界も、今の段階では、子育てとの両立や、男性が家事や育児をするというイメージがまだまだ馴染んでいない気がする。長時間の労働でいいものを作っていく世界という認識もあるだろう。この世界で、子育てしながらも、家事を積極的にやりながらも、しっかり成果が出せるということを示していけたらいいなと本気で思っている。

創作家としては、見た人・撮った人の心に残る創作をしたい。願わくば、自分の仕事や創作が社会前進の一石を投じられますように。

まだまだ視野が狭いので、目の前にある課題にしかなかなか注げないのだけれど、例えば自分の行動が、この本が、社会の子育て、家事の環境改善に役に立つことができたらいい。

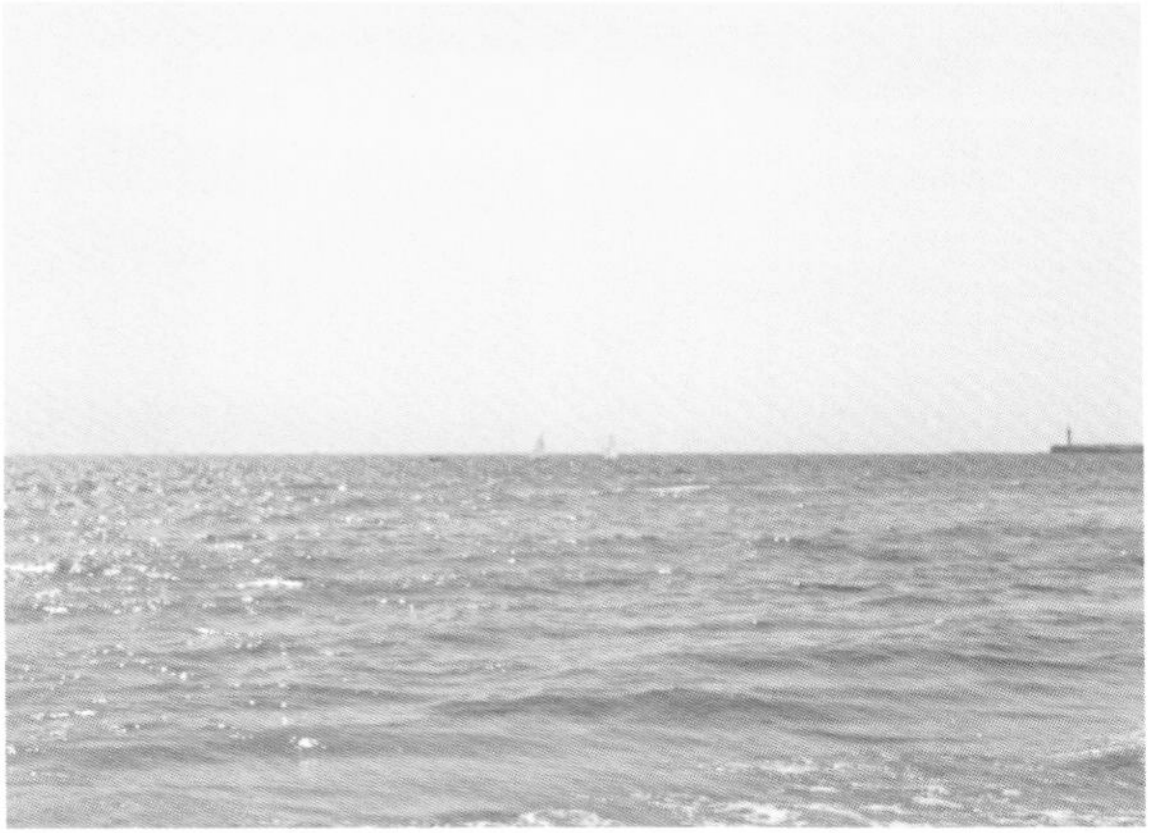

50

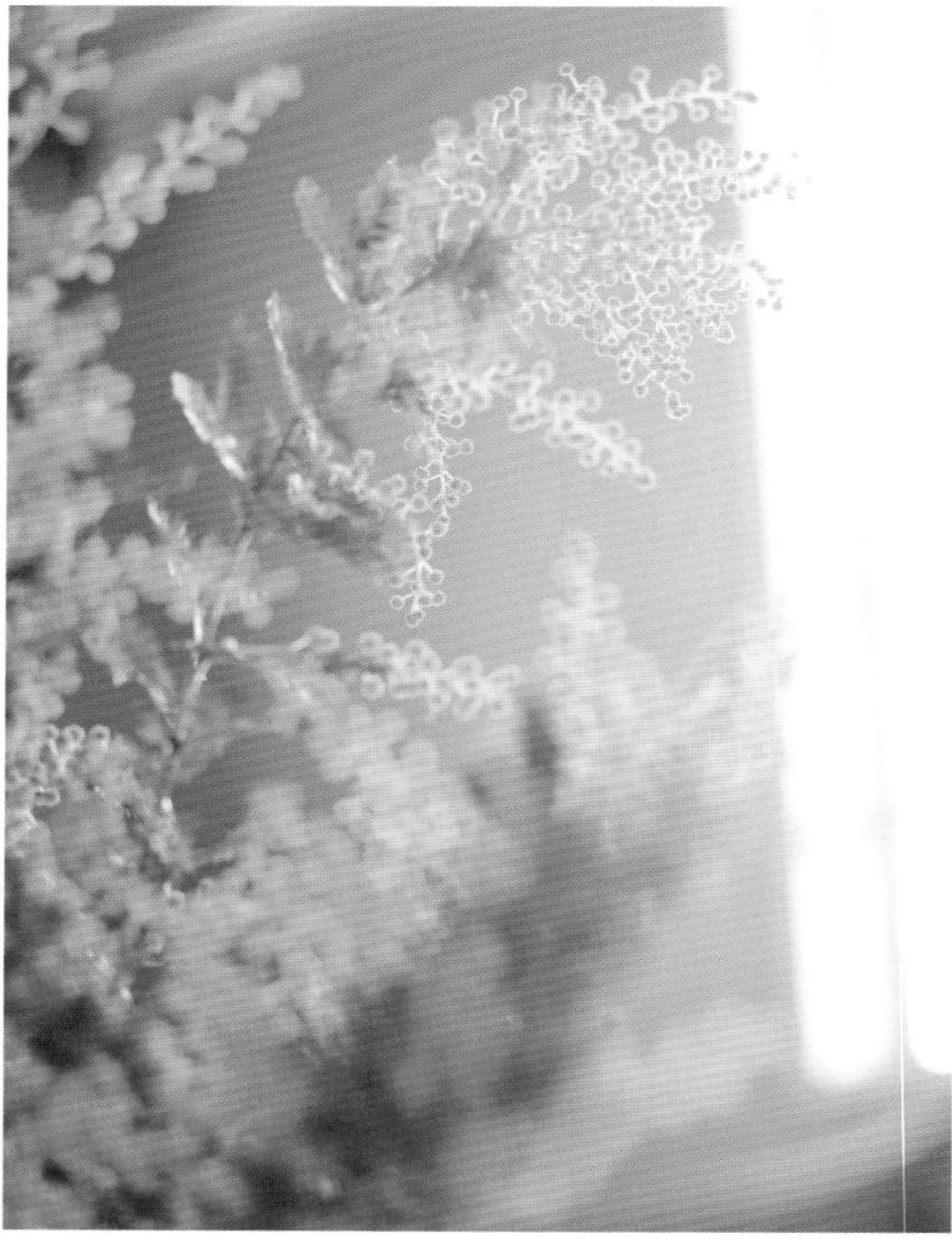

理想を掲げた後にするべきこと

理想を掲げた後は、それを成し遂げるためにやっていくこと・やらないことも決めよう。「理想のゴール」というまだ経験していないところに向かうので、その道自体は解像度が低い。霞がかかっている状態である。

だから行動を起こしながら、これはよかった、これはよくなかったと、毎回良し悪しの感情・感覚は持つべきで、それを分解してみる。時間も正直全く足りない。その中でも、明確にやらねばならないことがあるからだ。

例えば、どうしても仕事で遅くなってしまったとする。妻に息子をまかせきってしまって申し訳なくなる。自分の中にモヤモヤする気持ちが生まれる。

今後はどうするべきなのか？ 何を優先するべきなのか？

・家族の時間を成り立たせること

・将来にむけてちゃんとお金を稼ぐこと

この2つの理想はとてもシンプルなのに、両立させようとすると難しい。

特に息子のイヤイヤ期と重なればなおさら。家族のためにと遅い時間まで働き稼ぐことは、家族の時間を圧迫している場合がある。本来、大人ふたり体制で交代で受け流していく姿勢が好ましい息子の変化を、妻一人にまかせてしまっているためだ。

もちろん、お金を稼ぐということは今の自分達の生活を成り立たせるため、息子の未来の可能性を広げるために必要なこと。だからこの点はお金や自己実現、家族の形などあらゆるものを天秤にかけて決めていく必要がある。

限られた時間の中で、何をやるか、何をやらないかの取捨選択が本当に必要になってくるのだと、息子が生まれてからやっと気づいた。

制限のある時間の中でいい行動をとり、いい結果を出そう。そのために、目標があるのだ。理想のゴールを決めたら、やること・やらないことを整理して、よりよくできるように工夫しよう。

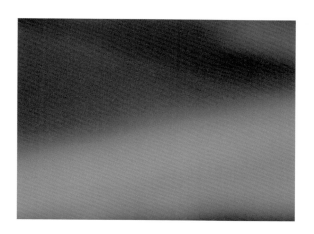

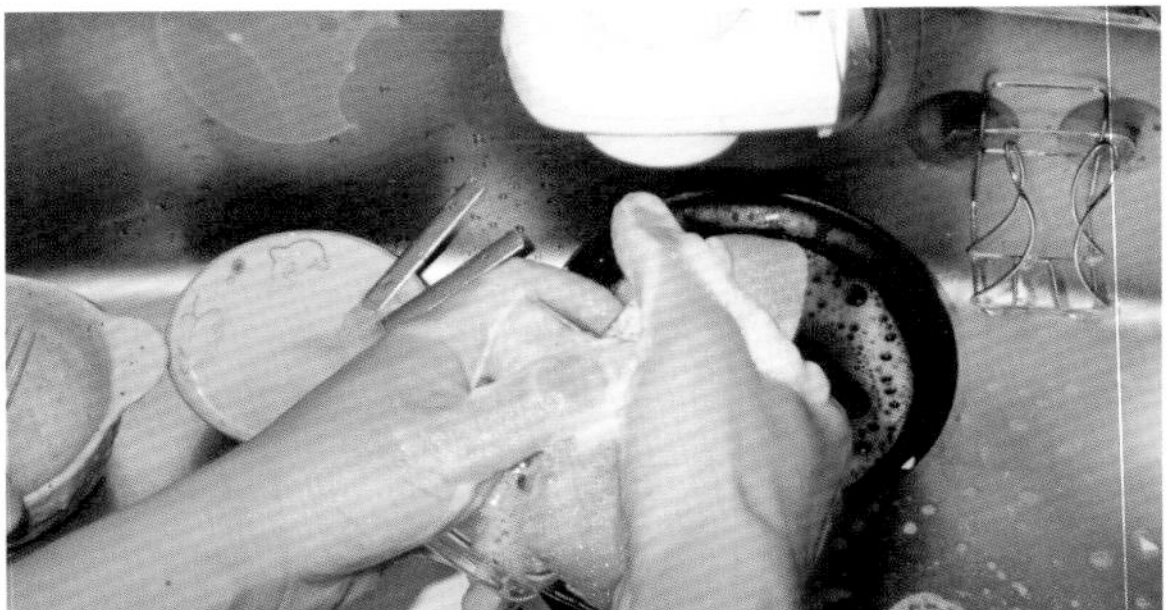

余白の必要も理解しておく

偉そうに話したけれど、僕はたくさん失敗をしてきた。

理想の像を設定したからといって全部が全部できるはずがない。子どもにつきっきりで疲れ切って寝てしまってもいいし、時に家族で喧嘩したっていい。失敗しても別に困ることはない、と認識しておくこともとても大事なのだと思う。

できるだけ日々を前進させるために、理想のゴールを描いていたら行動しやすいかな、くらいの心がまえでいようと思っている。

息子はもちろん、妻も、自分も、まだまだ人生を生きてないのだと思うから、もっとゆったり構えることができたらいい。

令和の父親として令和の家族になる

カメラマンとして動いているといろんな世界をみる。さまざまな場所、会社様、イベントにカメラマンとして足を運ぶ。そこで出会う若い世代は、子どもを持つことそのものに悩み始めている気がする。

ＳＤＧｓ、という言葉も広がってきた。たまにメディアのレポートでイベントの撮影をお願いされることもあって、その内容がＳＤＧｓなこともよくある。

企業の採用のためのコンテンツの撮影もよくある。それらをやっていると、「男性の育休」をはじめとして、育児は女性だけがやるものではないという認識が広まってきているのを感じる。

家庭を大事にするシンプルな心掛け

家庭を大事にするという感覚は、当たり前だけどかなり必要なことだ。妻と結婚して、そして息子が生まれてからさらに思うようになった。

一人暮らしの頃ではちょっとこの感覚は分からなかったような気がする。いや思いつきもしなかった。

僕自身が今、何を心がけているか。

「思いやる」というシンプルなことかもしれないなと思う。

「この時これをしたら喜ぶかな」

「あれがきつそうだから、先回りしてやろう」

「家事を積極的にやる」

そんな風に妻と息子に思いを馳せることで、僕自身についても考えるようになった。行動するようになった。

穏やかな家庭を作りたいという目標のもとに、思いやりをもつことができ、行動が変わっていく。

TATUNG
保温
炊飯
保温スイッチ
オン
オフ

人間関係を崩すのはコミュニケーションの少なさ

久しぶりに宮崎へ墓参りにいった時におばさんに見せてもらった写真を見た。自分自身の家族との写真、僕が大学に上がるまでの写真は、iPhoneやパソコンに入っておらず。大学生の時に母がわざわざ宮崎から長崎まで会いに来た時に、恥ずかしがらずiPhoneで自撮りでもして、一緒に写真を撮っておけばよかったなと思う。

家族をはじめ、大切な人、もしかしたら今はそうでもない関係性の人も、写真で（いまでは動画でも）記憶として鮮明にすぐ思い出される形にしておくのがいい。

人間関係を崩していく一つの要因に、コミュニケーションの少なさがあるのだろうと、30歳になって思う。

会社の上司、同僚、お客様、友人、親戚、親……何回も連絡をとるのはもちろん億劫で、めんどくさい。だけれども、人と人との関わり、「相手」が存在する以上、自分の気持ちだけではなく相手がどう捉えるか・どう思うかも大切。

自分だけで生きるのはかなり難しい。

相手を思うきっかけとして、あの美しい瞬間の写真はあってもいいのかなと思う。

そういえば息子が生まれてから、プライベートで写真を撮ることが本当に増えた。デジタルカメラはもちろん、フィルムカメラ、iPhoneといろいろなカメラで息子を撮る。

家族での写真は1歳になるまでは誕生日に毎月。同じ場所で、同じような配置で撮影する。0歳の時はいわゆる月齢ごと、毎月本当に大きな変化をしていくのだから、これほど子どもの成長は一瞬なのかと目に見えて実感する。

1歳になってからは半年ごとに誕生日、年賀状のタイミングなどで家族での写真を撮っていっている。いつまでこれが続けられるかわからないけれど、毎年の成長を見守れるいい機会にしていきたい。

息子とのコミュニケーション

3歳を迎えた息子は目の前のやりたいことにのめり込んでいる。「電車に乗りたい！」と頼んでくることもあるし、タブレットのゲームにハマっていることもある。パパとママがお仕事なんだということがわかると、作業場の椅子に座り、キーボードをさわって、「お仕事するんだ！」ということもある。洗濯物を室内乾燥機に干していると、「一緒にやらせて」とすでにタオルを握っている。

繰り返しの生活ではあるけれど、毎日を進めないといけないから、彼のやりたい、をすべて叶えてあげられるか、というと少し難しい。ときに怒ってしまうこともあって申し訳ない。怒らないように、自分を律したい……。

感情的になることはできるだけ避けて、対話をする。「なんでこうしたの？」と聞く。何をしたかったのか聞き、これをやってからやろうか、と言い聞かせる。3歳になるまでの息子にはまだまだ通じないことも多いけれど、それでも辛抱強く、対話するのだ。

そしてこれはもうずっとなのだけれど、何かができたらたくさん一緒に喜ぶ。何故かぼくはハイタッチをするようにしており、「できたね、イエーイ」とタッチをすると息子も嬉しそう。接する形は変わっていくのだろう。けれど、これからもずっと彼の笑顔を見たい。彼自身が好きな自分であれるようにあったらいいなと思う。

仕事と家庭を両立するため、お客様との関係性を築く

自分自身の仕事が好きだ。その衝動のもとで仕事をしてしまっている以上、どうしても生活というか、人生から切り離すことができない。どれほど息子が可愛くて愛する存在でも、写真を撮る行為は自分からなくすことができない。

だからこそ、自分自身、子ども、妻。家族全員の自己実現を成し遂げるために両立を図る。自分自身の仕事と家事を効率化させて日々を運営する。それでもなかなかうまくいかないことがある。息子の風邪、夫婦の仕事の状況、いろいろなものが重なってしまった時に、苦しんだ結果、笑顔が消える、というのを避けたい。

仕事と家庭を両立してきた、父親・母親の皆さんは、よくぞここまでやって社会を発展させてきたよな……と思ってしまう。それほどに仕事と家庭の両立というものは難しくて、何

度も何度も心が折れかけてしまうことは多い。

例えば僕の場合は、平日の9時から17時までは仕事時間と決めている。いわゆる現場仕事といわれるような撮影も9時から17時の間で終わらせる。ただ鎌倉という土地に住んでいるので、現場が東京であれば時間がそれだけで限られてしまう。

自分ひとりではなく、他のクリエイターやお客様と都合を合わせる必要もあるので、こちらからお願いしつつ、スケジュールを合わせていただきながらどうにかやっていく。図々しいかもしれないし、言いにくいかもしれないけれど、この時間にしてほしい、こういうフローにしたいとはっきりと伝える。

毎日、お客様に、制作パートナーに、妻に「お願い」するばかり。

そのお願いは結果で返さねばならなくて、短時間でもクオリティの高い撮影をし、できるだけ早くクオリティの高い写真や動画を提供する。できる時間で最大の成果を出すことが僕ら親のやることなのだろうなと思う。

改めて、仕事と家事と、子育てを両立していくことは難しいのだなと思うのだけれど、こうして生きてこれたのは間違いなくお客様の多大なるご理解・サポートがあるからだ。

仕事も、家庭も、自分も、全て諦めたくない。

核家族に社会のサポートは欠かせない

実家にお願いできない以上、どうしても仕事と育児は両立が難しくなってくる。年を重ねるにつれて体調が安定して来た気がする息子。保育園に預けている9時から17時半の間に、とても楽しそうに、言葉を吸収して、たくさん遊んで、お歌も上手に覚えてくる。何よりも息子の命を守りきってくれる保育園、保育士の皆さんには本当に頭が上がらない。当たり前とは絶対に思わないようにして、いつか恩を大きな形で返したいと思う。

保育園に入る前は、市のファミリーサポートの方が週1で家を訪れてくれた。

つきっきりだった赤ちゃんの時期は、尊いものであるし、かけがえのない時間だった。それでもフリーランス夫婦である僕らはどうしても仕事を切り離せないし、何よりふたりとも一人になる時間、もしくは夫婦ふたりで過ごす時間は週一時間でも必要だと思う。

そんな時間を市のサービスであるファミリーサポートの方がプレゼントしてくれたのは大きかった。

また、どうしても赤ちゃん時の0歳後半、仕事をやり始めていたら勢いが増して、僕も妻も週1日のファミリーサポートだけでは時間が足りないという場面が生まれてくる。この時に、ベビーシッターサービスがとても助かった。

いくつかシッターサービスがある中でもポピンズシッターさんが、住んでいるエリアの近辺で登録しているシッターさんが多く、お願いしてみた。主に2名のシッターさんが訪れてくれ、多彩な遊びで息子を楽しませてくれる。

祖父母が近くにおらず、4月生まれで保育園に入るのも、生まれてからまるまる1年かかった息子にとって、両親以外の大人とのふれあいの時間はもしかしたら良い時間だったのではないかなあと勝手に思うようにしている。

そのおかげもあってか保育園にはいることができてもすぐに馴染み、先生達ともコミュニケーションを取るのが上手だった。

ただ出費は重なるので頻繁に使うのは難しい。シッターさん、病児保育さんの時給が絶対的に高いものとはいえない。けれど、それが毎回となると計算してみたら一ヶ月の金額がものすごいことになる。

もちろん頼めることはありがたいのだけれども、毎度お願いしていたら大変。そのため、息子が熱を出した時は、交代で看病する事が多い。

それに熱を出す時は、日本国内全体の子どもが同時に熱を出している時期でもある。病児保育さんも予約が一杯であずけることができず、どうしよう……と頭を抱えることが本当に多い。

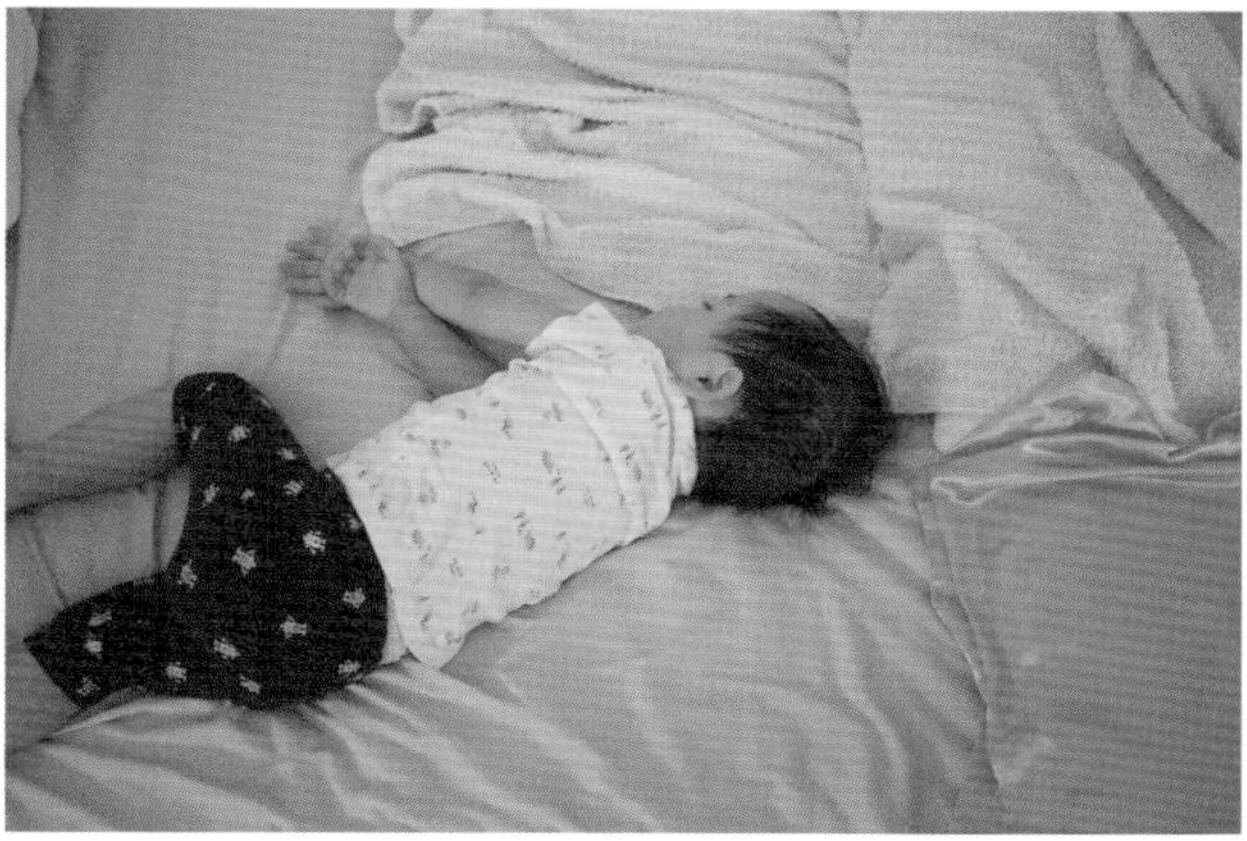

息子と、妻と、半径数メートルの世界

ここまで家事と育児と仕事を両立するために、僕がした試行錯誤を話してきた。

核家族で、自分達の両親に頼ることができない僕らだけれど、きっとこの国には同じような境遇の家族がたくさんあって、それぞれが日々をハッピーにしようと進んでいるのだろう。

ここからは、その人達には共感してもらえたら嬉しいし、これから家庭を築こうと思っている人には勇気を与えられるような内容になれば良いなと思って作った。

もちろん山程大変なこともあるのだけれど、息子との生活は楽しくて、育児をやることで得られた喜びが大きすぎるのだ。

それはきっと日常という小さくて、写真に残しておかなければ忘れてしまうくらい儚いもの。でも、絶対に大切なもの。そんなエピソードを写真と共に伝えたい。

保育園の迎えの時間も重なり、
綺麗だねーと夕焼けをよく息子と見る。
そういえば富士山が見えるのだけれどあまりにも美しい。

息子が富士山を見て、
「きれー、写真撮りてー」と言い出した。
僕はそんなに息子に話しているのだな……と思う。

息子がやりたいことがうまくできなかった夜、寝付けなかった夜。

息子を抱っこして、ふたりで月を見に行く。

夜風が当たって、気持ちが落ち着く息子。
自然が包み込んでくれるこの鎌倉の土地にやってきてよかった。

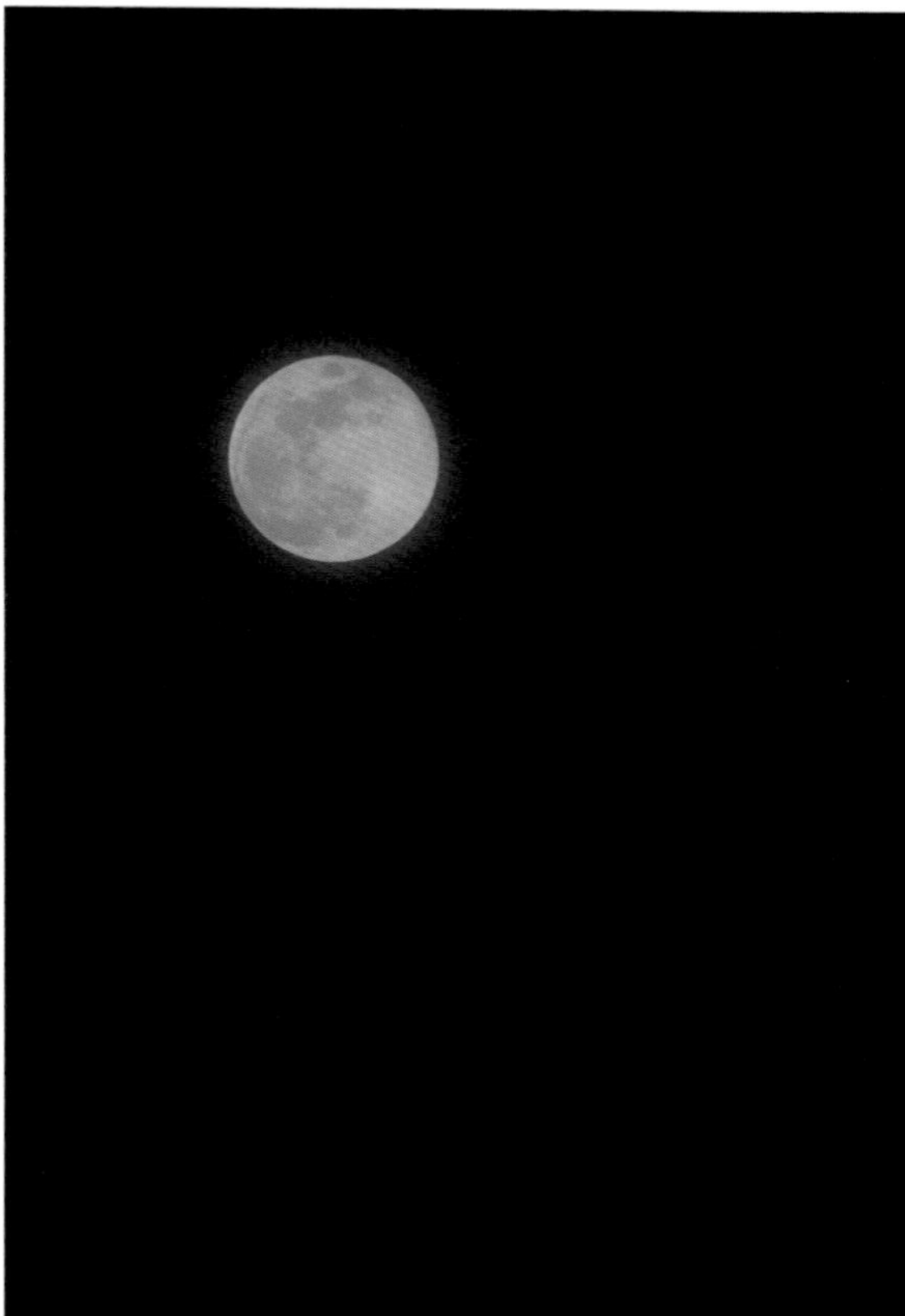

鎌倉の街に引っ越して、
僕も妻も、そしてもちろん息子もはじめて、大仏様へ参拝しに行く。
家族全員の人生初を、少しずつ増やしていく。
幸せなことだと思う。

息子がいつ頃からか哺乳瓶を拒否をしはじめた。

フリーランス夫婦としての働き方のため、1年の育休という形は完全には取りきらず……。もちろん取ったほうがいいのだけれど、仕事が仕事を呼び、信頼・信用の積み重ねでなりたっているため、いわゆる「勢い」を殺すのは怖くて、僕と妻も仕事を再開し始めていた。どうしてもふたりとも仕事の依頼が同じ日に被ってしまう、というのが保育園に入園する4ヶ月前くらいから発生してしまう。

一時保育に預けたい気持ちはあるものの、哺乳瓶拒否をする息子。お腹はどうなのかと心配になる。

それは長い戦いだった。哺乳瓶のメーカーを変えてみたり、ミルクを変えてみたり。ある日、妻が不在にしている間に、これならどうだ！という組み合わせで口に運んでみると、ぐいぐい飲み始めた。飲んでくれた。ただそれだけなのに、感動してしまった。

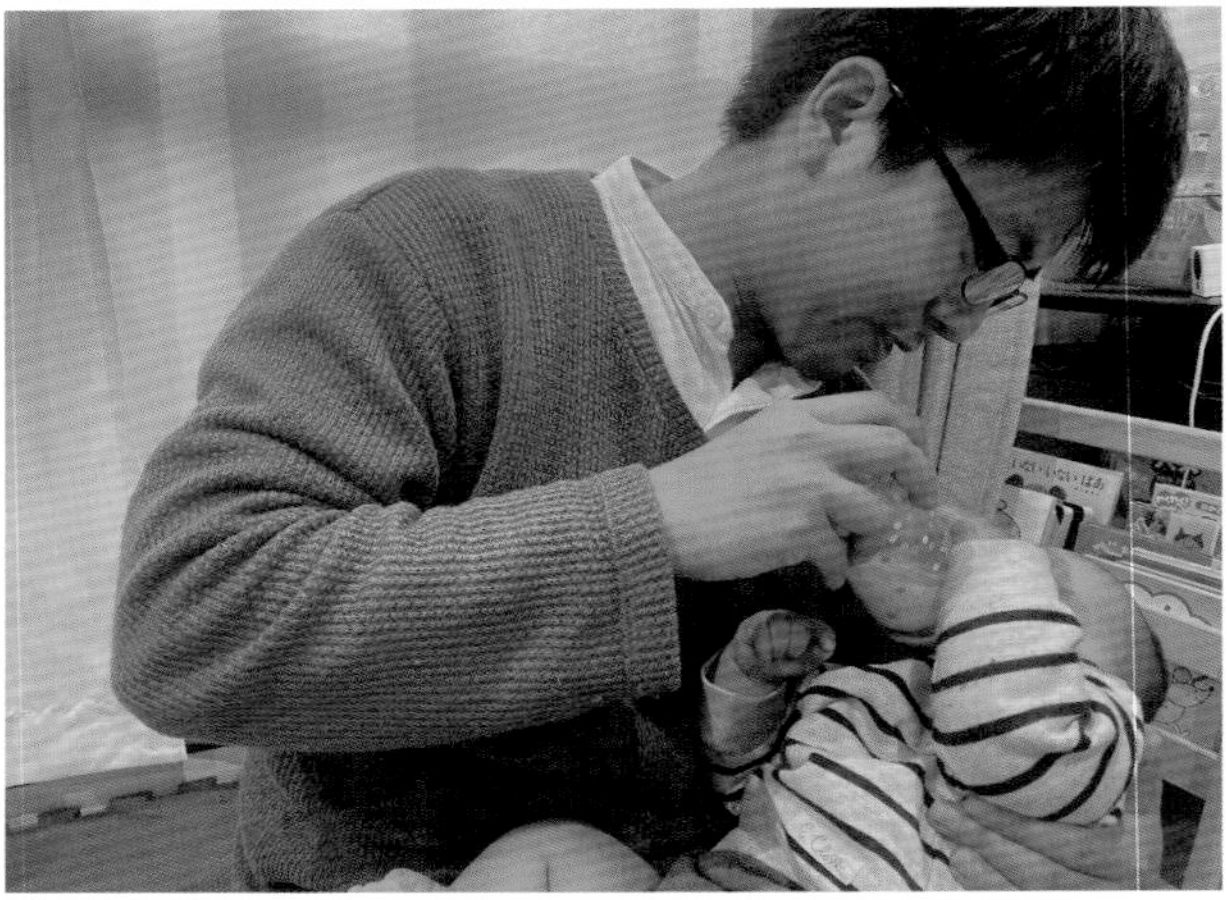

1歳になる頃くらいにおばあちゃんからプレゼントしてもらった積み木。

最初の頃はもちろん少し触る程度だったのだけれど、2歳になる2ヶ月前の2月頃にはとても高く積み上げていく息子。

まるで君が大きく、世界を作っていくようで。

仕事と家庭、自分自身の制作をどうにかすべてうまく行きたい。そのために朝の4時から6時の一人の時間を大切にしている。

だけれども、息子が起きてくる時間がとんでもなくはやかったりすることもあって、作業部屋の扉をあけておはよーと言って膝の上に乗ってくる。

眠そうだけれど、パソコンの画面に興味をもつ彼の表情が美しくてついつい触らせてしまう。一緒の時間を過ごすのもまた朝のふとした瞬間で、記憶に残しておきたいなと思う。

ママ、パパ以外ではっきりと言葉として喋ったのが、

「でんちゃ！！！！」

今ではすっかり、電車好きで、プラレールに電車の図鑑に、親の僕達が学ばせてもらっている。
こうして好きを繰り返していって、彼が人生を最高に楽しいものにしてほしい。

この熱はいつかきっと君を支えてくれると思う。

KOMACHI

2歳半を過ぎてから息子とのふたり旅をするようになる。年1～2回ある撮影仕事の出張で妻に家のことをまかせきってしまった後に、僕が息子を連れて出かけるのだ。（妻は家で一人で過ごすのが落ち着くらしい）

そんな理由をつけているけれど、息子とのふたり旅は僕自身がいつもワクワクしてしまう。電車や飛行機など、乗り物が大好きな彼と小さな探検をするのは、これまでしてきた旅の感覚とは全く違う。

何よりももちろん息子の安全管理が一番にあるので、カメラのファインダーをのぞいて撮る、なんてことはなかなかできない。そんなことしてたらあっという間に信じられないスピードで走り去っていってしまう。

レンズ交換式のミラーレスカメラをかばんに詰め込んで行くのだけれど、走りながら首にかけているのは邪魔だし、息子に当たってしまいそう。荷物がいつも重いなあと思いながらも今日こそは撮れるだろうと、つい持っていってしまう。

普段の生活圏ではふれられない事柄に目を輝かせる彼の横顔が美しくて、いつもスマホではなく、カメラで写真を撮りないなあと思うけれど、なかなか屋外では難しい。乗り物の中や部屋の中でカメラを向けさせてもらって撮れるその表情は、また日常とは異なる時間でいつまでも見ていたいと思う。

離れた地域に住んでいる友人夫婦のもとを訪ねた時。その夫婦にも息子より1ヶ月先に生まれた男の子と2つ下の女の子がいて、一度鎌倉にきてもらったこともあった。その時は我が家で息子同士が初めての対面。息子はなぜかギャン泣きだった。

それから1年と少しが経って、今度は僕らが彼らのもとに訪れた。空港で会った時は人見知りをしていた息子だったけれど、大きな公園で一緒に遊んでいるうちになんとなく仲良くなったようで。

保育園での普段の日常、お友達とどうすごしているのか、みたいなものはなかなか見ることができないからこそ、こうやって仲良くなっていくんだねえと眺める。

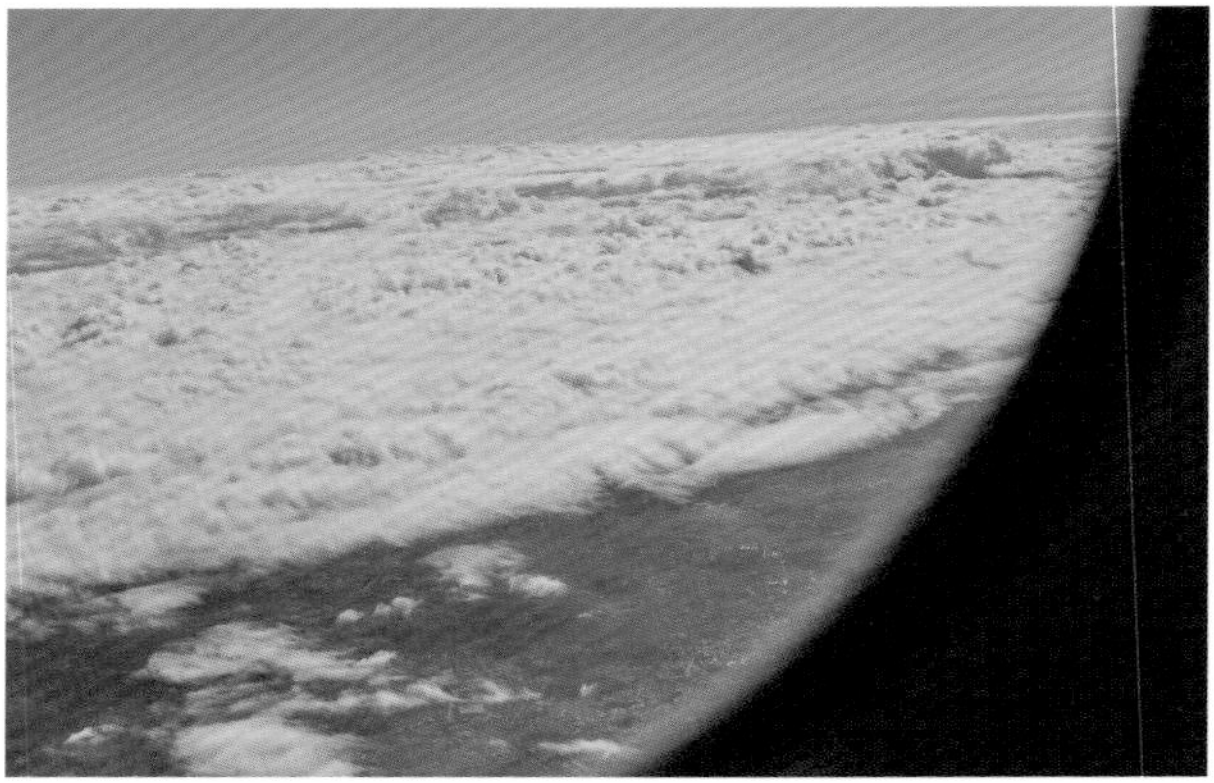

雨がやんだあとは息子にとって最高の遊ぶ時間。
水たまりに飛び込むのが本当に好き。

子どもって本当に無敵だなあと彼を見て思う。
大人にとってどんなに億劫な雨も、見方一つ、捉え方一つで世界が変わるのだから。

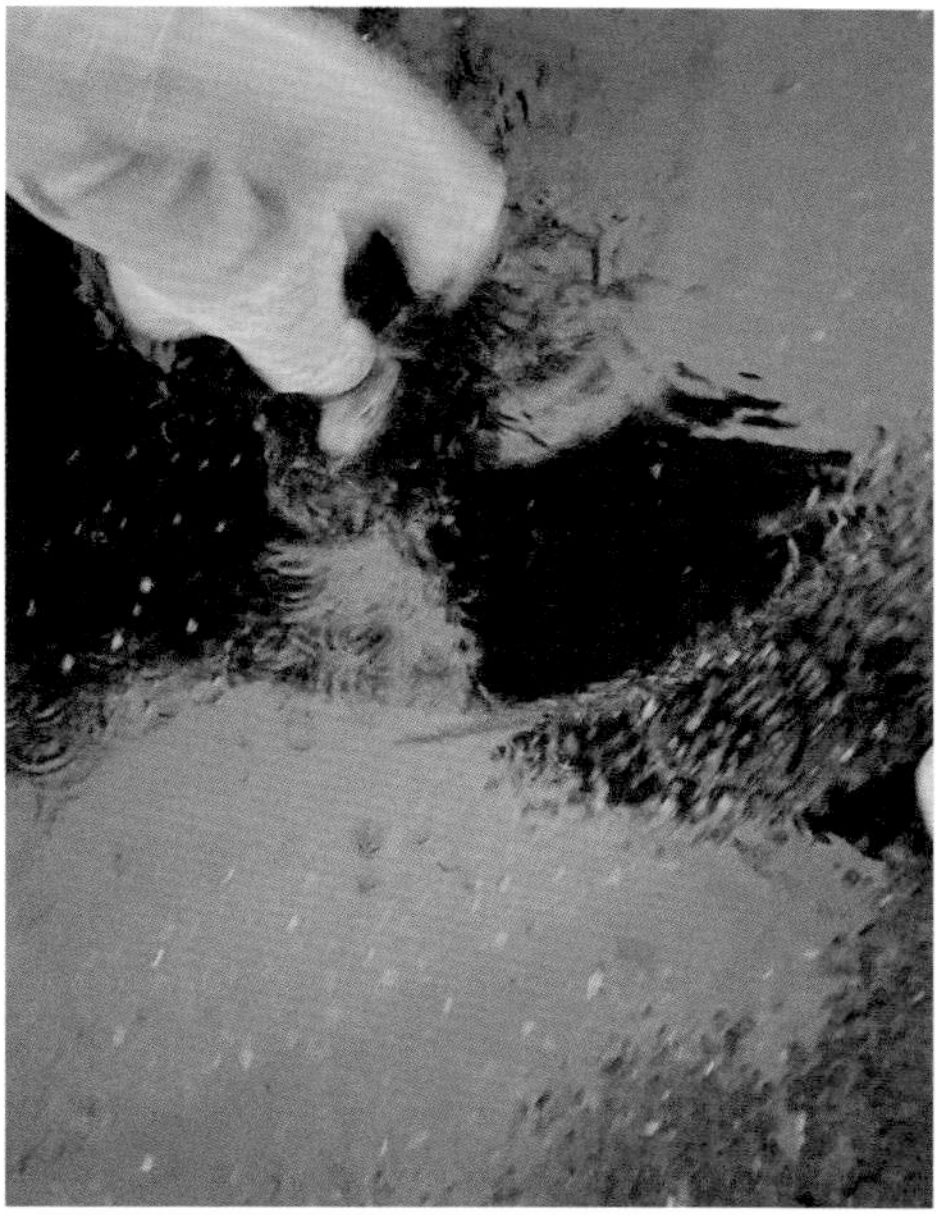

何年かに一度の皆既月食を息子と見た。

大好きなお月さまが赤く変わっていく様子に、
「怖い、おうち帰る」という息子。

そうだよね、いつもと違うのは怖いよね。
近所の人も声をかけてくれる。

息子は、この街、この社会と、僕ら夫婦を繋いでくれる存在でもあるのだと思う。

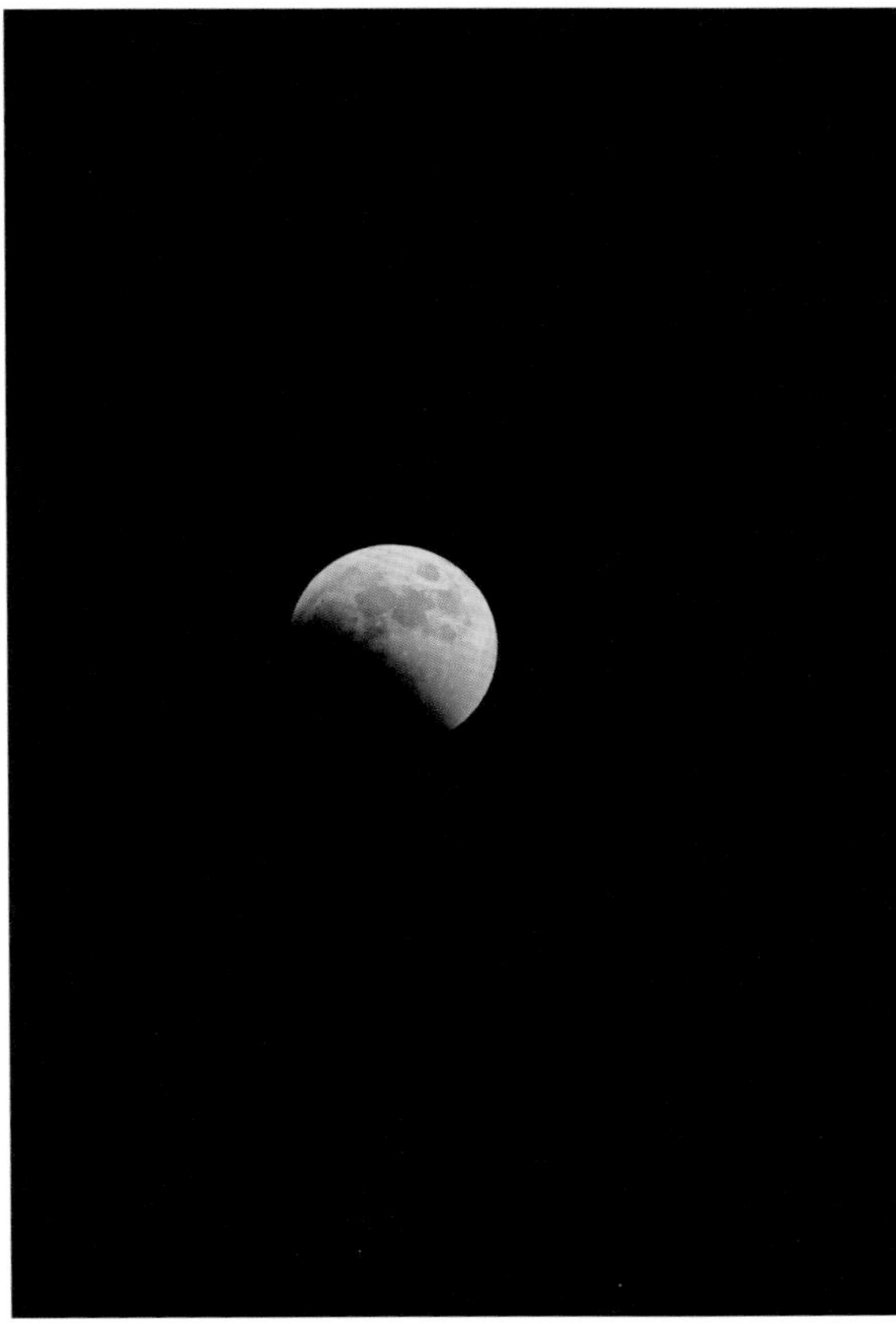

普段家で寝る時はうちの息子は、僕の隣でお喋りしてうとうとしはじめた……と思ったら「パパ、バイバイ……ママのところで寝る……」と妻の布団に行ってしまう。

息子とのふたり旅はママがいない。飽きてしまうと「お家帰りたいー、ママー」となってしまうこともあるけれど、意外と、僕の隣で寝てくれた。日中のお昼寝も案外したりして、ほっとする。彼の中でのなにかの変化があるのかなと思う。

家族でも旅行に行くし、ホテルでは気をつけたいことがまとまってきた。

まず、加湿器を借りること。最初から加湿器がないお部屋もあるようで、真っ先にフロントに電話して借りていいなと思った。

ベッドガードは借りれる。和室が借りれない場合もあって、ベッドから落下しないか？と思うことがある。でも、ベッドガードは借りれるから、ホテルの予約の際に連絡してみるといいかもしれない。

子どもがご飯を食べれる場所も探しておいた方がいい。行った先でその土地特有のものを食べたい大人の気持ちはあれど、子どもが食べ慣れているもの、食べ慣れているところに行くのも安全かもしれない。うちでいえば、ファミレスでキッズプレートを食べることだったり回転寿司のうどんを食べることだったりする。

せっかく見つけたマクドナルド。しかし……あのピエロの大きな人形が入り口にあり、ギャンギャンと泣いて「あれ怖い！にげる！」と言って走り出してしまった。

まだ1歳になっていない頃に友人が息子に会いに来てくれて、抱っこしてもらった時はギャン泣きしていた。

3歳になって、友人と僕と息子の3人でご飯を食べて買い物に行く日。駅で待ち合わせの場所につく。

あのお兄ちゃんのところに「こんにちは」って言っておいでと伝える。「うんわかった！」と息子が走っていく。ご飯の時も、買い物の時も楽しそうに過ごしており、帰る時も、「お兄ちゃんも一緒にお家に帰るのー？」息子が聞く。

息子と毎日接しているのだけれども、ふとした瞬間に、あの時と比べて大きく成長したなと思う時がある。

予定日より19日ほど早く生まれた息子。

いざ離乳食をはじめて、吐き戻しが多い時期があった。「まあ赤ちゃんだしこんなものなのか……?」と思いつつも、不安。妻がＩｎｓｔａｇｒａｍやＴｗｉｔｔｅｒで子育てアカウントを見ていると、特定の食べ物の場合、同じような症状の子どもがいるようだ。

思い返すと、豆腐をあげていた時なのかもしれないと街の大きな病院で診てもらうことに。たまたま幸運なことに小児科にアレルギーを中心に研究しているお医者様がいて、消化管アレルギーかもしれないですねと診断を受ける。

「消化管アレルギー……?」と聞いてみるとなかなか珍しいアレルギーではあるものの、成長するにつれて治っていくことが多い、消化管が成長しきってない状態だったらしい。（詳しいことは専門家に聞いた方が良さそうなので、気になることがあれば病院へ）

実際に2歳になる前に、2日ほど入院してアレルギーが治ったかの検査をしてもらった。すっかり治っていて、ほっと胸をなでおろす。

知人のお子さんも大豆の消化管アレルギーで、3歳前の検査でアレルギーは治ったと診断されたらしい。それまで機会がなくあまり認知していていなかったのだが、親になり、アレルギーというものにとても気をかけるようになった。周りをみてみると、アレルギーを持つお子さんは案外多いこともわかるし、大人でもいることに気づく。子どもにより世界への注意する視点が増えたと思う。

離乳食の開始は妻がリードしてやってくれて、そのやり方を教えてもらい、僕も作ることができるようになった。

でも食材からペースト状の離乳食を作るのは、かなり手間がかかる。

そのうち、パルシステムの離乳食商品がとても便利だと気づく。あれだけ手間だった離乳食作りが、既製品だとこんなにも簡単なのかと感動した。息子もパクパク食べており、これでもいいのかもと思いはじめる。

作るのは大変だし、食べてくれないのはしんどいなあと思う時もあったけれど、嬉しそうに食事を楽しむ息子の表情が愛おしくてたまらないと思う。よく食べる様子を見ると、今でもなぜか元気をもらう。

息子の2歳の誕生日に、妻のお義母さんからストライダーをプレゼントしてもらった。一度お店で見た時はおもちゃに気を取られて興味なさそうにしていたのだけれど、いつの頃からか「乗りたい！」と言い出すようになった。おそらく、公園で遊んでいたら自分より大きなお兄ちゃんが楽しそうに乗っているのを見て「自分も！」と思ったのだろう。

保育園が休みの土日や仕事が早く終わって迎えに行った日に、公園に連れて行って一緒にやっていたらどんどん上達していく。「イメージできたらよりできるのかな？」と、ストライダージャパンのＹｏｕｔｕｂｅを見せてあげると目を光らせて何度も繰り返す。ますますハマって乗るようになり、スピードをだしはじめる。足を浮かせて運転できるようになる。どこまでも遠くに行ってしまいそうだなあと思う。

これは自転車を乗れるようになるのも早そうだ。彼がもうすこしルールを理解できるようになったら買ってあげて、練習して、一緒に湘南の海を走ってみたいなと思う。

STRIDER

家での遊びの一つにお絵描きがある。

最初は画用紙の上にかいてもらったのだけれど、はみ出してしまうことも多い。そこで、撮影で使う真っ白な背景紙を買って、息子に好きなだけ描いてもらうようにした。

すると彼の世界は広がって、「これ電車の線路なんだー」とクレヨンで引いた線の上をプラレールの電車を走らせる。

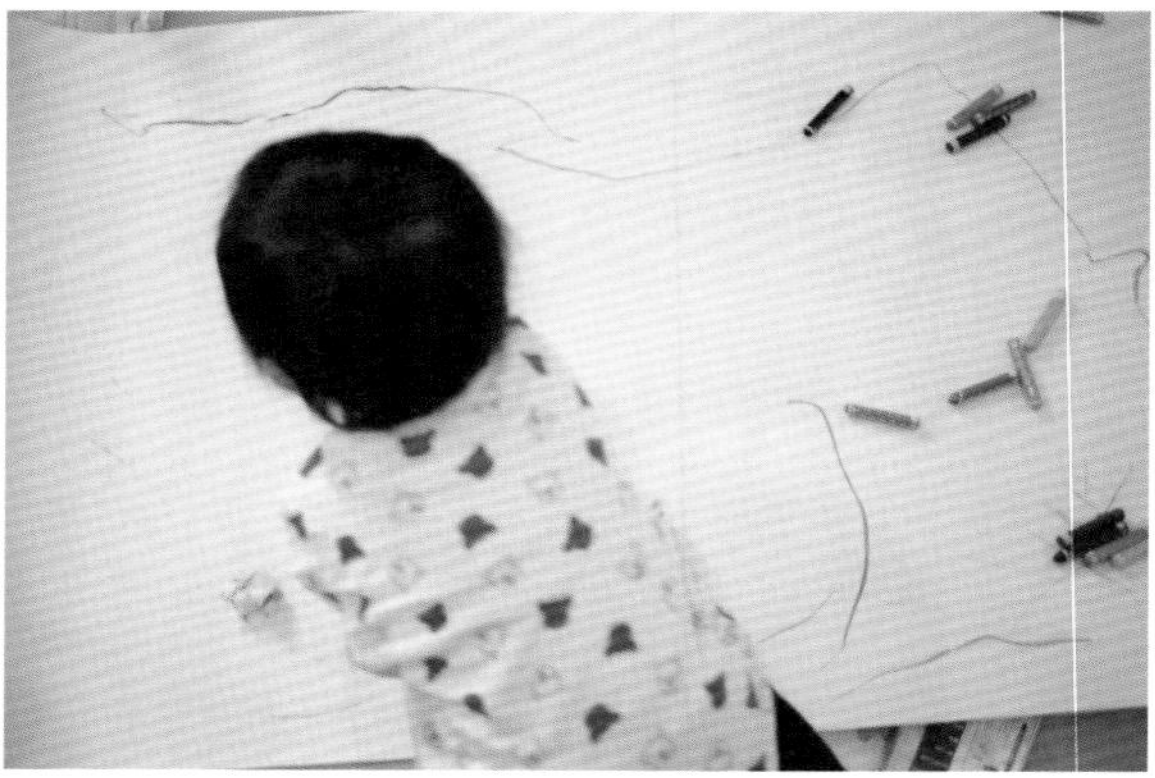

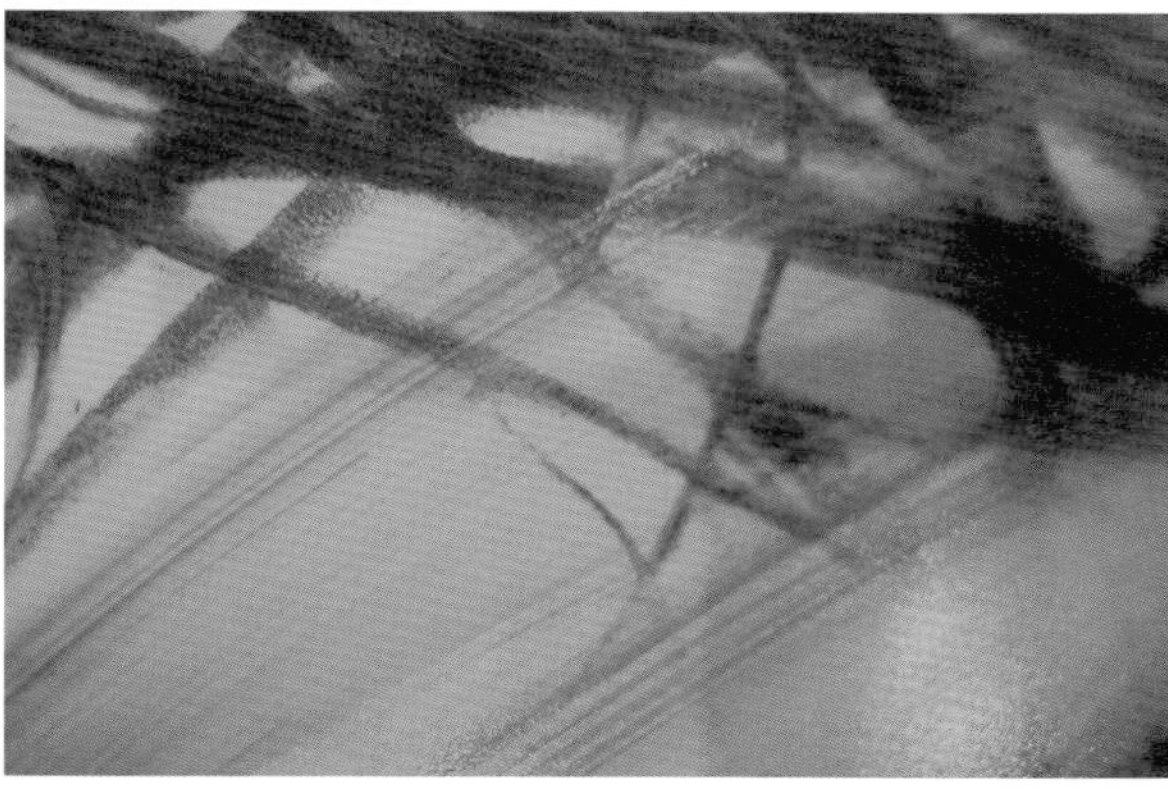

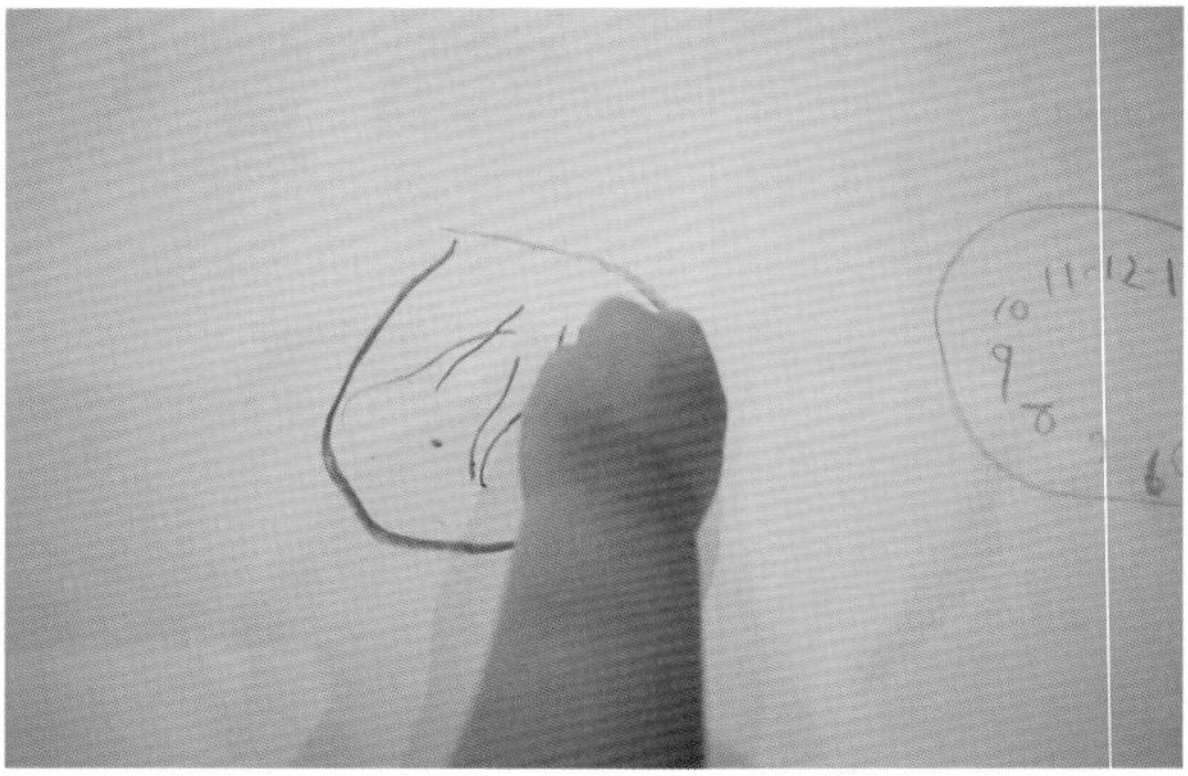

育児をするにあたって、最初の頃にモンテッソーリ教育、というものがいいと聞く。「あの著名人もみんなこの教育方式を！」と帯に書いているし、本を手に取った。

ところが、読んでいるうちに気づく。ああ、これは、理解はできても実行がとても難しいものだな、と。両親どちらか（著名人の親も母親、女性の場合が多い気がする）の育児への貢献がかなり多くないといけないと思った。


一方で、学ぶことも、実行できることももちろんある。だから広い画用紙に描かせてあげようと思ったし、保育園に来ていく服を彼に選んでもらうのもよくやってもらう。

最近は彼のお気に入りの電車の服を選んでいくのだけれど。

★NICE SCENERY★

水族館に息子をよく連れて行く。1歳になる手前から通っているのだけれど、やっぱり大きくなるに連れて反応が変わっていくので、見ていて楽しい。お魚、ペンギン、船の展示、UFOキャッチャー。興味のターゲットが変わって、今日はどんな反応を見せるのだろう、と毎回楽しみになる。

保育園で年に数回、「遠足」がある。この日は給食はなく、自宅で作ったお弁当を持っていくことになる。

朝5時に妻と準備をはじめる。

全てを手作りするのは流石にむずかしく、サケを魚グリルにいれる。フライパンでたこさんウインナーを焼く。市販の冷凍のコロッケと冷凍のブロッコリーを入れる。冷凍食品はそのまいれるだけで食べる頃にはちょうどよくなるものも多くて、傷まないように使えるのもいいなと思う。

1歳、2歳、3歳になる直前と、何回か作ってきたけれど、やっぱり成長とともにお弁当の日という特別感を感じるようになってきたようだ。

起きた息子が、ダイニングテーブルに置いたお弁当をみて、「わー！お弁当！今食べる！！」と叫んだ遠足の日。とても驚いたし嬉しかった。

「コロッケは食べたくない」と言いながらも「最後には全部食べていましたよ」と、お迎えの時に保育士さんから聞く。普段はたべないコロッケだもんねえ、よく食べたねと思いながら、空っぽになったお弁当箱を洗う。

保育園はあと4年くらいあるから、お弁当を作ることは何度かあるだろうし、小学校に上がってからもまだまだあるだろうな。

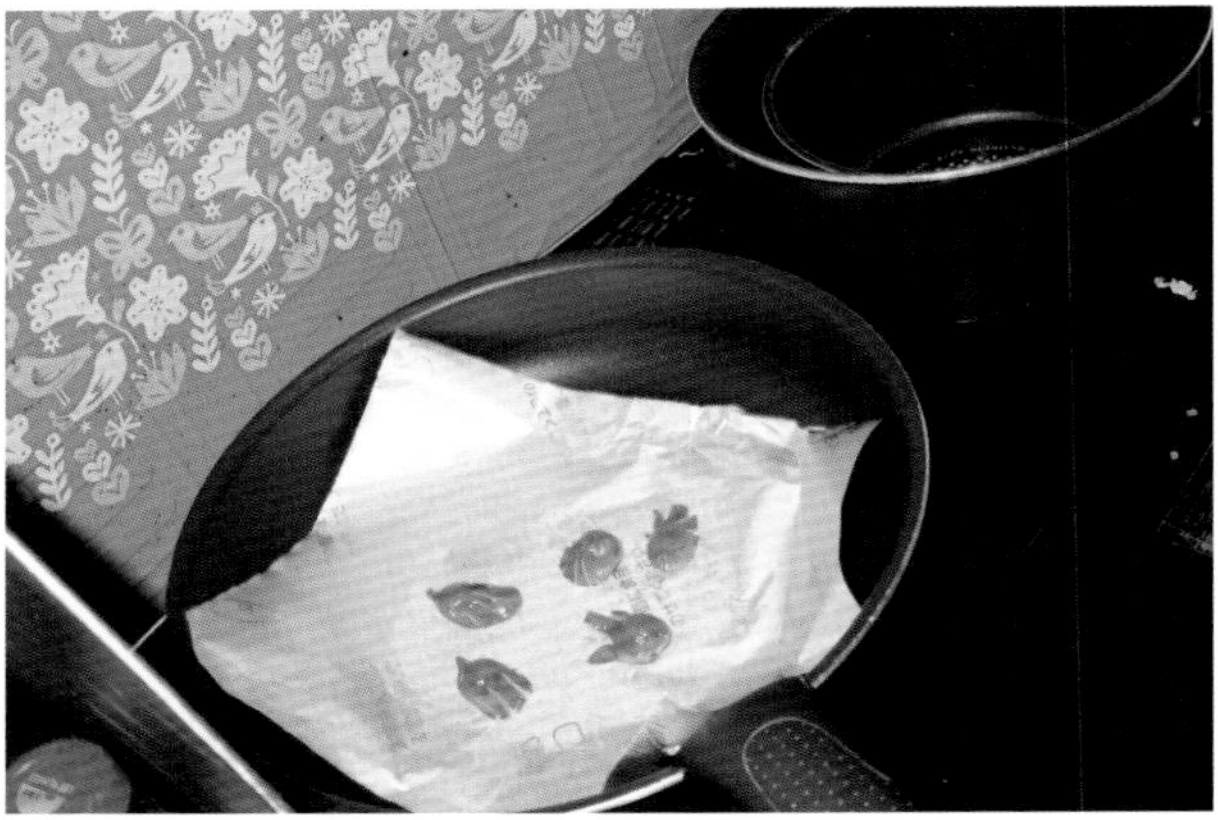

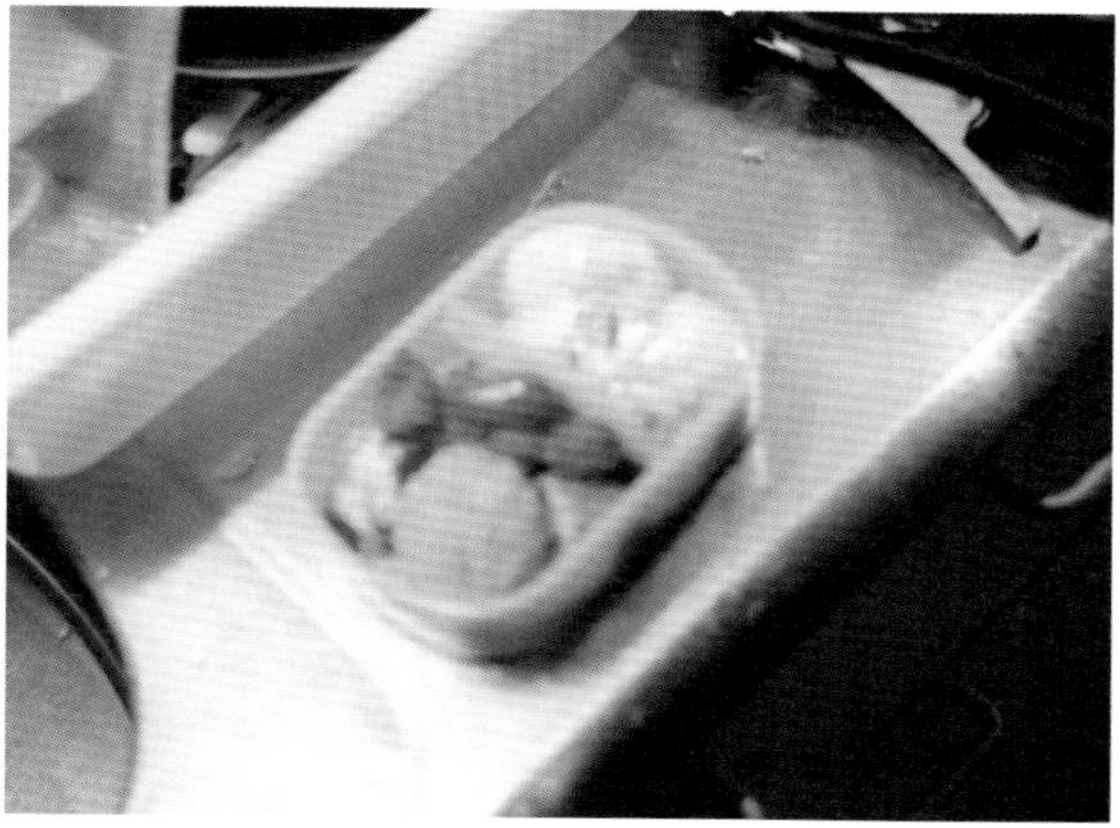

息子がご飯を食べる食器は、妻が作った食器で食べている。妻は陶芸家をしており、自宅でも作業場を準備し制作している。そんな妻が作った食器で息子がご飯を食べる。少し特別な感覚があって、面白いなと思う。

3歳になって息子が作業場に入った時に、「自分も食器をつくってみたい!」と言った。手びねりの回転台を回すのが楽しい、という感じだったとは思うけれど、妻と一緒に小さなお皿を作る。出来上がったお皿に「電車を描く!」と楽しそうにする息子。

トイカメラを持ち出して一緒に写真を撮りに行くこともあるし、僕ら両親のやっていることに興味を持ち始めるようになってきた。

もちろん、僕らのような趣味や仕事をしなくてもいい。彼の興味がどこまでも続いて、深めていくことができればいいなと思う。

FOOD

保育園に通い始めてから、ゴールデンウイークは年末年始と肩をならべる大型連休。保育園も休みになるので、仕事をストップして息子と長い時間を共に過ごせる時間。

最初は生まれて1ヶ月も経っていなかった。新型コロナウイルスが流行しはじめたばかりということもあり、家でひたすら慣れない0才児の息子との時間を、妻とふたりで過ごした。

次のゴールデンウイークに撮った写真を見返すと、掴まり立ちをしている。そういえば5月中くらいには歩き始めていた。4月に入園した時は、同じクラスの子ども達の中で何人かは歩き始めていて、息子は床にお腹を付けながら手のひらや足の裏で床を押して前に進む「ズリバイ」をしていたのだけれど、保育園に入ってから歩くのも喋るのもどんどん上手になった。

2歳になって迎えたゴールデンウイークは、朝早く家をでて、初めて大仏様のところに行った。引っ越してから足を運べていなかったので、家族全員で人生初の参拝を共有した瞬間だった。

そして、３歳になってからのゴールデンウイークは、僕とふたりで過ごす日を作った。僕の友人達に会うために、大好きな電車「グリーン車」に乗って、東京に向かう。

なかなか子ども向けのショッピングモールや赤ちゃん本舗、西松屋、みたいな場所を渋谷や表参道で見つけるのは大変だったけれど、休憩で入ったスターバックスの子ども向け牛乳を勢いよく飲んでくれたり、店員さんの温かい心がけにとても癒やされたりする。

いざ僕の友人達と会うと、息子は大人顔負けに話をする。大人だけで話していると、「き・い・てー!!!」と大きな声でわりこんでくる。自分は何がしたい、こうしてほしいと、人見知りが抜けて楽しそうに話す。

こんな風に毎年やってくるゴールデンウイークを切り抜いてみるだけでも、成長が凄まじい。

Ａｍａｚｏｎの「ほしい物リスト」という機能がある。Ａｍａｚｏｎで販売されている商品をリストで管理し、それをそのまま誰かに共有できる。もらった人は、リストの中から商品を選んでギフトを贈ることができるのだ。住所を聞いたり、発送したりという手間がないし、確実に相手が欲しがっているものをプレゼントできる機能。

息子が生まれてから、ふと顔をあげると街中に思っていたよりも子どもがいると気づくようになった。知人のＦａｃｅｂｏｏｋやＩｎｓｔａｇｒａｍを見ていても、案外、皆さん子どもがいる。

少子化が指摘されているが、自分の周りだけを切り取ってみてみれば、子どもはいて、それだけ親もいる。手が届く範囲の親同士だけでも助け合いたい。

だから、子どもがいる友人達の誕生日になったらＡｍａｚｏｎの「ほしい物リスト」を送ってもらう。すると、親である彼ら・彼女らのリストには、おもちゃやおしりふきなど、親がほしい物ではなく子ども達の物ばかりで溢れていて、優しい気持ちになる。

ただその一方で、親になった彼ら・彼女らも、子ども達と一緒に幸福感で満ちる世界であってほしいと思う。

大人であっても大切にする人が多い誕生日。子どもにとってはなおさら大切な日。

1歳の誕生日は、まだまだ赤ちゃんで何もわかっていなかったような気がする。

2歳の誕生日は、友人達が送ってくれるプレゼントにただただ喜んでいた印象で、写真を撮りに行った時は機嫌が悪くて、頼んだ知り合いのカメラマンさんを困らせてしまった。

そして、3歳。息子は誕生日を迎える前からそわそわしていた。お喋りも上手になり、語彙も増えた。薬局やスーパーで「今、何歳?」と聞かれると、「2歳!でも、らいしゅう3歳になる!」とアピールできるくらいだ。

満を持して迎えた、3歳の誕生日。息子が寝ている間に妻と一緒にプレゼントを並べ、飾り付けをして、起きるまで待つ。

ほどなくして起きた息子は「今日、誕生日?」と目を輝かせて聞いてきた。

「そうだよ、何歳になったの?」と聞き返す。

「2……3さい!!」

と嬉しそうに答えてくれた。迷ったのは最初だけで、それから、もう何回聞いても3歳と言う。プレゼントをあける息子はとても嬉しそうで、可愛かった。

午前中は「お祝いしてもらっておいでー」と保育園に送り出す。

午後に迎えに行って、いつもの江ノ島水族館で、息子のお誕生日を祝ってもらう。3歳になったので彼専用の年間パスポートが作れる。写真を撮られるのも上手になって、満面の笑みが年パスに載った。

息子が何より好きなのは潜水艦。その日は、いつもは気づいてなかった潜水艦のビデオをじっくり見ていた。興味の持ち方が深く、個性的になっていくのを感じる。

家に帰って、部屋を真っ暗にし、彼の目の前にあるケーキのろうそくに火をつける。

アニメで見ていたその光景に憧れていたようで、「誕生日はこれをやれるの?」てずっと聞いていたから、叶えてあげたかったのだ。

その日はお腹がいっぱいでケーキまで食べきれなかった息子だけれど、寝る時に「誕生日楽しかったー!」と大きな声で叫んだ。

これまでの誕生日と全く違っていて、ああ、この子はこの時間を沢山楽しんでくれたんだなと感慨深かった。

「僕にとって家族とは?」と聞かれることがある。

僕を支えてくれる存在です、と答えるのはなんだか今の妻と息子に対しての関わり方からはなんだか違う気がしている。もちろん支えてくれる存在なのだけれど、ただ支えられているだけの存在ではないような。

この3歳の息子の誕生日を通して、ちょっとだけ見えたものがあった。

「楽しかったー!」と言葉にして喜ぶ彼は本当に幸せそうだった。その瞬間、大事な物事があまりに当たり前の存在過ぎて、ちゃんと言葉にできていなかったなと思った。

当たり前のことを言うようだけど、妻も、息子も、僕自身も、それぞれが生きたいように生きることができるのが良いなと思う。つまり、全員が幸せであればいい。

だから、「家族とは？」という質問の答えはこうなった。

「幸せでいてほしい存在で、幸せにしたい存在」なのだと思う。

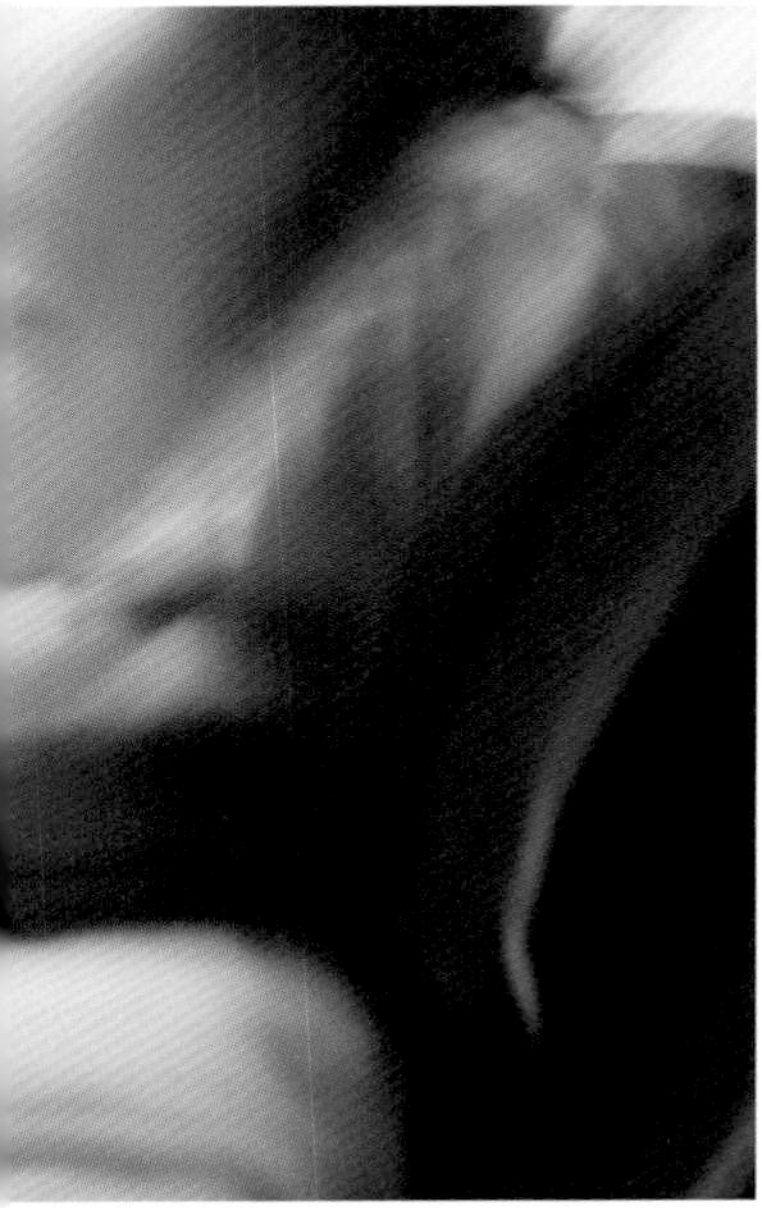

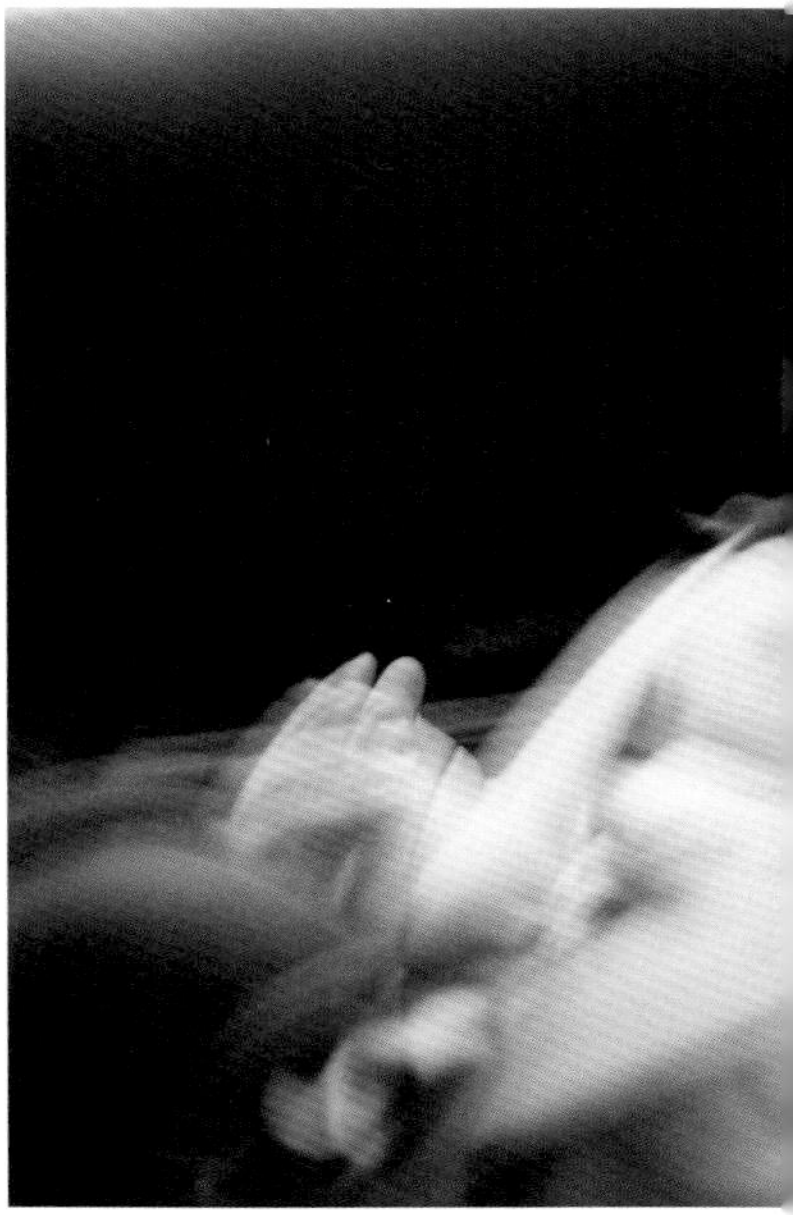

あとがき

この本を読んで、「何、当たり前のことを言っているんだ」と思う人もいるかもしれない。そうだとしたらむしろそれは嬉しいこと。当たり前だと感じる人が多い世の中にするためには、時代に負けず、家族の在り方を模索し、家庭と向き合う人が多くなければ不可能だから。たくさんの会社が今現在、男性が育児をすること、女性が社会で活躍していくこと、その両立に向けて歩んでいるのをカメラマンとして目の当たりにしているから。当たり前だという気持ちこそが、「社会が変わっていけた結果」だと思う。だからこそ、この本を手に取ってくれた方が、少しでも自分自身の環境を良くするきっかけになれば幸いです。

最後に著者の我儘を。

この本を読めるくらい大きくなった未来の息子へ言葉を残したい。
君がやりたいと思うことをとことんやっていける社会で、君がなりたい君自身であったらと願う。別に子どもがほしいという思いを持っていなくてもいい。たくさんの人からもらった愛情で、元気よく人生を楽しんでもらえていたらそれでいい。

君が生まれてきてくれたことが本当に嬉しい。大好きな君と大好きな妻と、毎日を歩んでいけたことが僕にとって奇跡とい言えるほど幸せなことだから。

また、この本を執筆するにあたって、ただでさえ家事、育児、仕事と忙しいのに、同時に開催した個展の準備から、日々を成り立たせるための努力を共にしてくれた妻。本当にありがとう。

そしてこの本は、人生で初めて大きな金額のクラウドファンディングに挑戦して、結果を残すことでより良いものにできました。ご支援いただいた、120名の皆様、企業としてご支援をいただいた株式会社D-GHOST様、出版にあたりお力添えをいただいた逆旅出版様、本当にありがとうございました。

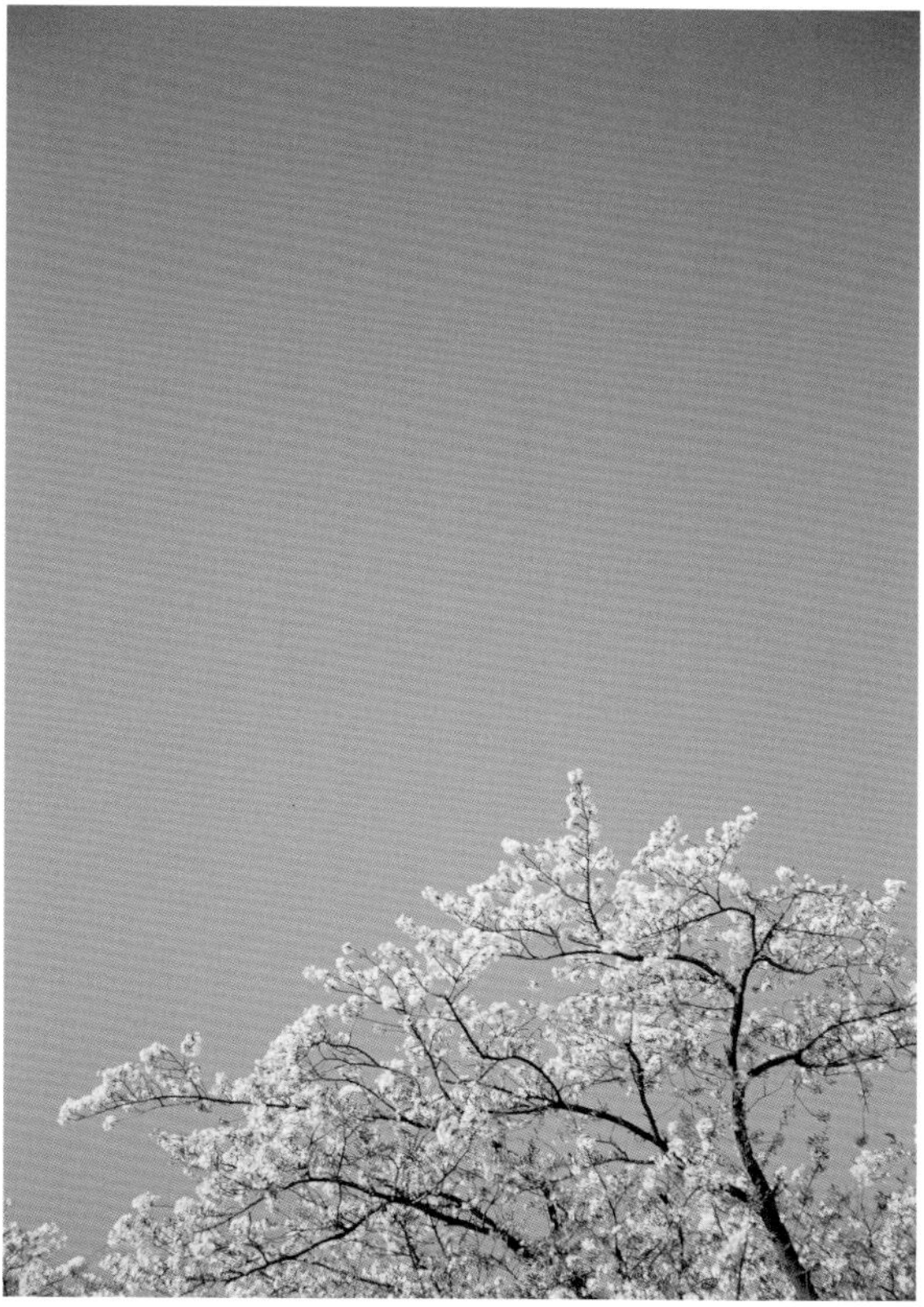

矢野拓実　takumi YANO

1993年 宮崎県都城市出身。鎌倉在住。長崎大学卒業。IT企業、スタジオ・カメラマンアシスタントを経てフリーランスに。幼い頃にカメラを触らせてもらい、写真とカメラが側にある生活を過ごし、商業カメラマンとなる。クライアントワークとしてWEB、広告の写真・動画撮影のかたわら、作品制作を行う。生活者として半径数mを表現する。日々と生命の瞬間の記録、表現の合流点を目指す。2020年に息子が生まれ、家事と育児、仕事の日々を奮闘中。

君に出会って、僕は父になる
When I met you, I became a father
2023年8月29日 第一刷
ISBN978-4-9912620-2-9
C0095 ¥2200E
Printed in Japan

著者・写真　矢野拓実
発行元　合同会社逆旅出版
〒107-0062
東京都港区南青山2-2-15WIN青山531
電話050-3488-7994
https://www.gekiryo-pub.com
装丁　草場有紗
DTP組版　草場有紗　逆旅出版
編集・校正　中馬さりの
印刷・製本　株式会社シナノ